당신의 조직은 안녕하십니까

왕성한 잡식성 호기심을 추진체 삼아 열정 가득한 지식소매업자
한양대학교에서 교육공학과 경영학을 공부하였고, 산업 및 조직심리학을 가르치며
다양한 조직의 안녕을 위한 솔루션을 제공합니다.
hryon@hanyang.ac.kr

당신의 조직은 안녕하십니까

지은이 임혜련

발 행 2024년 04월 02일
펴낸이 한건희
펴낸곳 주식회사 부크크
출판사등록 2014.07.15.(제2014-16호)
주 소 서울특별시 금천구 가산디지털1로 119 SK트윈타워 A동 305호
전 화 1670-8316
이메일 info@bookk.co.kr

ISBN 979-11-410-7920-8

www.bookk.co.kr

당신의
조직은
안녕하십니까

임혜련 지음

차례

Chapter Ⅲ   같이 성장

'**안녕(安寧)**'이란 아무 탈 없이 편안한 상태를 의미합니다. 그래서 서로 편한 사이에 만나거나 헤어질 때 정답게 표현하는 인사말로 흔히 사용합니다. 우리가 안녕하지 못할 때, 크고 작은 다양한 문제가 일어납니다. 문제가 발생하면 결국 안녕을 추구하기 위한 처방이 필요합니다. 특히 최근, 저성장 장기 불황에 팬데믹까지 겪으며 우리의 안녕은 더욱 소중한 가치를 지니게 되었습니다. 이 글은 '조직 건강(Organizational Health)'을 주제로 논문을 준비하다가 어렵고 무거운 학문적 내용에 지칠 때, 덜 어렵고 덜 무겁게 '조직의 안녕'이라는 실용적인 이슈로 경영자 혹은 조직의 인사담당자들과 공감하고자 작성하였습니다. 그리고 이 글들을 묶어 한 권의 책으로 펴내게 되었습니다. '당신의 조직은 안녕하십니까'는 조직 속 나의 안녕과 우리의 안녕의 관점에서 살펴보고, 조직의 성장을 위한 제안을 합니다. 모두의 안녕을 바랍니다.

2024년 새로운 봄날에

임 혜 련

제1부

나의 안녕

직장생활이 지루하세요?

재택근무, 해보니 어떠셨어요?

코로나 블루, 확찐자 … 나의 웰니스 괜찮을까?

워라밸을 위해 이제 일주일에 딱 4일만 일합시다!?

나는야, 강철멘탈! 회복탄력성 기르기

직장생활이 지루하세요?

월급 루팡이 아니라고요! 단지 보어 아웃일 뿐

어느 조직에나 주의를 요하는 직원이 있습니다. 여기서 요주의 직원이란 '일잘러'나 '일못러'가 아닌, 최소한의 일만 하고 조직의 성과에는 관심이 없는, 예를 들어 비슷한 업무, 맡겨진 업무만 반복하고 그래서 앞으로 발전이 없어 보이는 '월급 루팡' 같은 직원들 말이에요. 그런데 이 월급 루팡의 원인이 조직에서의 어떤 자극이 부족해서라면요? 어떤 충분한 자극이 주어진다면 월급 루팡 누명 탈피는 물론, 심지어 일잘러까지 될 수 있지 않을까요?

그렇다면 먼저 월급 루팡 직원들에게 다음의 질문을 해볼게요.

Q1. 나는 직장에서 내가 보유하고 있는 스킬과 지식이 최대한의 잠재력을 발휘하지 못하고 있다고 느낀다.

Q2. 나는 직장에서 종종 의미 없는 일을 수행해야 한다.

Q3. 직장에서 나의 업무는 나의 전문분야와 관련하여 흥미를 불러일으키지 못한다.

Q4. 직장에서 나의 업무는 중요하지도 흥미롭지도 않다.

Q5. 나는 직장에서 나의 업무를 수행하면서 어떠한 동기 부여도

되지 않는다.

각 문항에 대해 '매우 그렇다'는 ⑤점, '그렇다'는 ④점, '보통이다'는 ③점, '그렇지 않다'는 ②점, '매우 그렇지 않다'는 ①점씩 해당하는 답변에 점수를 매겨볼게요. 그리고 답변의 총합이 15점 이상 그리고 25점에 가까울수록 그 직원은 보어 아웃(bore out) 현상을 겪고 있을 가능성이 큽니다.

보어 아웃(bore out)이란, 직장 업무나 생활이 지나치게 단조롭거나 지루해 무기력해지거나 의욕을 잃는 현상을 말하는데요, 우리말로 '권태 증후군'이라고 표현하기도 합니다. '번 아웃(burn out)' 아시죠? 번 아웃(burn out, 직무 소진)이 어떤 과도한 자극으로 인한 부정적 결과라면, 보어 아웃(bore out)은 번 아웃과 반대로 오히려 자극이 부족하면 생기는 현상입니다. 내가 하고 있는 일이 지루하고(boredom), 도전적이지 않고(a lack of challenges), 게다가 전문성을 필요로 하지 않으니(a lack of professional interest) 일 자체에 흥미를 잃고 성과 창출에도 관심이 없는 것이죠.

그런데 (초기) 보어 아웃을 겪고 있는 구성원들은 회사에는 잘 나와요. 출퇴근 시간을 잘 준수하지만, 문제는 근무시간에 딴짓을 한다는 것이죠. 그래서 주의가 필요한 월급 루팡이라는 겁니다. 보어 아웃은요, 또 직장에서의 업무량이 적정 수준 이하일 경우에도 나타납니다. 일이 적으면 좋은 거 아니냐고요? 업무량이 적으면 구성원은 회사에서 시간 때우기를 할 수밖에 없죠. 근무시간에 인터넷 쇼핑을 하는 등 개인적인 일을 하면서요. 그런데 사람은 사회화 과정을 겪으며 공정성에 대한 지각을 하게 되잖아요? 그래서 업무량이 적은 구성원들은 이로 인해 결국 죄책감을 느끼게 됩니다. 그래서 보어 아웃은 초기에는 정신적 스트레스를 증가시키지만, 오래 지속되면 퇴근 후 일상에도 영향을 미쳐 우울증, 불면증 등을 유발하고 육체적 건강을 악화시키기까지 하는데요, 문제는 만성화된 보어 아웃은 벗어나기가 쉽지 않다는 것입니다. 보통 자신이 보어 아웃을 인지하는 때는 이미 만성화된 후이며, 보어 아웃 상태인 사람들은 무언가 변화하려는 시도를 덜 하게 된다는 연구 결과가 있거든요. 따라서 보어 아웃을 개선하려면 개인의 탈피 노력도 중요하겠지만, 조직에서의 지원도 매우 중요합니다.

보어 아웃을 예방 또는 최소화하기 위해, 경영진은 구성원들이 가치 있는 일을 하고 있다고 느낄 수 있도록 조직 문화 구축에 더욱 힘써야 하며, 또한 각 급의 리더들은 구성원들과 함께 일의 가치와 의미에 대해서 적극적으로 소통하는 것이 중요합니다. 조직에서의 인정 역시 하나의 해결책으로 활용할 수 있습니다. 보어 아웃의 본질적 원인은 '의미 없음(meaningless)'입니다. 따라서 스스로 먼저 자신이 하는 일에서 목적이나 영감을 꾸준히 찾는 것이 필요합니다. 또한 일에 대한 흥미를 잃지 않도록 작은 변화를 자주 마련하는 것도 중요하겠습니다.

보어 아웃 측정 질문지

작업량의 부족

1. 나는 직장에서 무엇을 해야 하는지 알지 못한 채 시간을 보낼 수 있다.

2. 나는 직장에서 시간을 때우기 위해 자주 개인적인 업무를 처리한다.

3. 나는 직장에서 할 일이 별로 없어서 수다를 떨거나 쉬는 데 많은 시간을 보낸다.

4. 나는 직장에서 업무를 완수하지 못하고 상사에게 부탁하는 데에 시간을 보낸다.

5. 나의 업무량은 충분하지 않다.

과소 자극

6. 나는 직장에서 내가 보유하고 있는 스킬과 지식이 최대한의 잠재력을 발휘하지 못하고 있다고 느낀다.

7. 나는 직장에서 종종 의미 없는 일을 수행해야 한다.

8. 직장에서 나의 업무는 나의 전문분야와 관련하여 흥미를 불러일으킨다. (Ⓡ 역척도 문항)

9. 직장에서 나의 업무는 중요하지도 흥미롭지도 않다.

10. 나는 직장에서 나의 업무를 수행하면서 동기 부여가 된다. (Ⓡ 역척도 문항)

업무 관련 죄책감

11. 나는 직장에서 나의 업무량이 충분하지 않은 것에 대해서 자주 죄책감을 느낀다.

12. 나는 직장에서 충분한 업무량을 가지고 있지 않기 때문에 나 자신과 내가 보유하고 있는 스킬에 대해서 자신감을 잃었다.

13. 나는 나의 작업량에 대해서 말하는 것이 부끄럽다.

개인의 일에 대한 가치와 비 양립성

14. 직장에서 일을 적게 하는 것은 내가 원하는 것이 아니다.

15. 직장에서 일을 적게 하는 것은 나의 직업관과 모순된다.

※ 출처 : Poirier, C., Gelin, M., & Mikolajczak, M. (2021). Creation and Validation of the First French Scale for Measuring Bore-Out in the Workplace. Frontiers in Psychology, 12.

재택근무, 해보니 어떠셨어요?
하이브리드(hybrid) 일터로의 변화와 기업의 대응방안

　지난 팬데믹 상황에 의도치 않은 매출 신장 분야가 있었습니다. 바로 사무용 가구의 비약적인 수요 증가인데요, 많은 직장인들의 일터가 자신의 개인생활을 위한 집으로 바뀌면서 집에서도 일을 잘할 수 있도록 '홈오피스(home office)'로 정비하기 위함입니다. 그동안 집에서 안락함을 선사하였던 소파나 식탁, 침대 같은 가구가 하루 이틀이 아닌, 장기간 집에서 업무를 처리하는 데에는 오히려 물리적인 불편함을 느끼게 하였거든요. 그래서 홈오피스의 마련 - 적어도 일하는 데 불편함을 덜어낼 수 있도록 가구의 배치 또는 용도 변경은 재택근무 초기의 필수 준비사항이 되었습니다.

　그렇다면 홈오피스도 마련하였으니, 이제 과거의 일터는 사라지는 건가요? 그러나 여러 연구에서 밝혀진 결과에 따르면, 예상과 달리 기존의 사무실로 복귀하고 싶어 하는 직장인 그리고 경영진이 꽤 많았습니다. 재택근무의 가장 큰 장점이라 함은 단연코 출퇴근 시간의 절약입니다. 그러나 막상 재택근무를 시행하고 보니, 오히려 업무에 투입되는 시간이 더 늘어났다고 보고되고 있습니다. 시공의 유연성은 확보하였지만 업무처리가 더디다? 그렇다면 업무 효율성

과 생산성의 문제인 거죠. 재택근무는 비공식적인 대면 접촉 또한 차단하기 때문에 접촉에 의한 유대감 형성과 협업 및 의사결정의 기회가 사라집니다. 의도하지는 않았지만 조직 구성원 간의 상호작용 효과에서 비롯한 다양한 경험을 박탈하게 되니, 업무 효율성과 성과 수준에 고스란히 그 부작용이 나타납니다. 때문에 넷플릭스의 CEO, 리드 헤이스팅스(Reed Hastings)는 아예 재택근무의 무쓸모론을 주장하기도 했습니다.

그러나 이미 시간과 공간의 제약이 덜한 재택근무를 경험한 조직 구성원들은 이를 온전히 포기하기가 쉽지 않습니다. 다만 상시가 아닌 필요에 따라 재택근무를 선택할 수 있는 권리를 갖고 싶어 할 것이고, 따라서 기업은 이를 위해 일터에서 하이브리드 개념을 탑재하여 근무의 다양한 방법에 유연성을 강화할 수 있는 변화를 추진해야 할 것입니다. 변화의 방향은 재택근무를 통해 정확하게 그 요구사항을 파악할 수 있었고, 이를 반영한 하이브리드 일터의 조건은 다음과 같습니다.

첫째, 무엇보다 안전성의 확보입니다. 일터에서 안전성이라 함은 위생요인(hygiene factor)으로 분류합니다. 위생요인이란 충족되지 않으면 바로 불만족을 경험하게 되는 요인들을 의미하기 때문에, 어쩌면 우리는 그동안 위생요인들에 대해 너무도 당연하게 여겼을 수도 있습니다. 그러나 우리는 안전을 위해 재택근무를 실시했습니다. 따라서 이제 안전성이라는 위생요인은 일터에서 매우 민감하고 철저하게 여겨야 할 문제입니다. 공동의 공간에서 조직 구성원들이 신체적·심리적으로 안심할 수 있도록 상시 공기 정화와 공간 및 물품의 청결 유지, 주기적 소독은 기본이고, 개인 간 거리 두기를 위한 공간의 분할과 배치 등에 대한 고민이 필요합니다.

둘째, 생산성의 향상입니다. 앞서 재택근무의 비효율성을 야기한 문제 중의 하나가 바로 조직 구성원들 간 상호작용 기회의 박탈이라 밝혔습니다. 따라서 하이브리드 일터에서는 대면 및 비대면 협업을 촉진할 수 있는 공간과 설비를 마련하고 자칫 구성원들이 느낄 수 있는 고립감이나 소외감을 해소하기 위한 다양한 소통의 채널을 적극적으로 구축해야 합니다. 집단의 성과를 창출할 수 있는 의도적인 장치를 반드시 고민해야 합니다. 또한 재택근무를 통해 물리적인 사무가구와 공간의 중요성도 실감했습니다. 업무에 몰입할 수 있도록 신체에 무리가 가지 않는 사무용 가구, 기기, 공간에 대해서도 다시 한번 점검해야 할 것입니다.

셋째, 자율성의 부여입니다. 재택근무는 일과 생활의 균형을 개선할 수 있는 기회이기도 하였습니다. 오히려 양쪽이 모두 부담이 되어 업무와 사생활 간 의도적 단절이 필요하다고 보는 입장도 있지만, 재택근무를 경험한 대다수의 직장인들은 재택근무 초기 여러 시행착오를 거치면서 결국 워라밸(work & life balance)을 추구할 수 있었습니다. 따라서 상호 신뢰를 기반으로 개인의 업무에 스스로 통제력을 갖고 진행할 수 있도록 믿고 맡기는 자율성의 부여는 하이브리드 일터에서 동기부여 할 수 있는 가장 큰 원동력이 될 수 있습니다.

  지난 팬데믹으로 인해 그 어느 때보다 다이내믹한 변화의 소용돌이 속에서 참 잘 버텨왔습니다. 그러나 앞으로, 팬데믹처럼 예상치 못한 또 다른 어떤 큰 변화가 닥칠 수도 있습니다. 이때에도 필요한 것은 단연코 민첩한 적응력일 것입니다. 안정성의 확보, 생산성의 향상, 자율성의 부여 등 하이브리드 일터로의 변화 노력을 통해 현재, 그리고 앞으로의 변화에도 잘 대응할 수 있는 적응력을 키워나갈 수 있기를 응원합니다.

코로나 블루, 확찐자 ... 나의 웰니스 괜찮을까?
개인과 조직의 '웰니스(wellness)' 점검하기

코로나19로 인한 팬데믹 현상을 겪으며 심리적·신체적 긴장 상태가 장기화 되면서 이로 인한 크고 작은 부작용이 많이 보고되었는데요, 다행히 엔데믹 선언으로 극도의 불안은 줄었지만 조직 구성원들의 지속적인 심신 건강을 위해 '웰니스(wellness)'의 개념으로 접근해보겠습니다.

웰니스란, 신체적·정신적으로 건강한 최적의 상태를 말합니다. 그동안 여러 공신력 있는 기관에서 수행한 조사 결과에 따르면, 일하고 싶은 회사들의 공통점 중의 하나가 체계적인 웰니스 프로그램을 제공하고 있었다는 겁니다. 조직에서 제공하는 웰니스 프로그램은 구성원의 직무만족, 조직몰입, 심리적 안정감 등에 긍정적인 영향을 미치고, 이는 곧 개인 및 조직의 성과를 향상시키는 결과를 가져옵니다. 따라서 상시 구조조정에 대한 불안, 성과에 대한 압박 등 여러 스트레스 하에, 삶의 질을 향상하고 이에 따른 성과 또한 제고하기 위해서 웰니스 프로그램은 관심의 대상이 되어왔습니다.

웰니스 프로그램은 피트니스 프로그램, 작업장 건강 증진 프로그램, 직원 건강 관리 프로그램, 직원 지원 프로그램(EAP: Employee Assistance Program) 등 다양한 명칭으로, 다양한 활동을 제공해왔습니다. 웰니스 프로그램의 범위는 구성원 개인의 신체적 건강은 물론 정신적, 사회적, 정서적, 심리적 건강까지 아우르며, 대상 또한 구성원의 가족을 포함한 개인의 전체적인 삶을 포괄적으로 지원합니다.

웰니스의 수준은 어떤 목표처럼 도달해야 하는 높은 수준의 고정의 것이 아니라, 상황에 따라 유동적으로 연속적인 개념입니다. 때에 따라 수준이 높을 수도 낮을 수도 있다는 것인데, 중요한 것은 웰니스의 하위개념들이 균형 잡힌 높은 수준을 유지할 수 있도록 해야 한다는 것입니다. 웰니스의 하위개념은 지적(intellectual) 웰니스, 신체적(physical) 웰니스, 영성적(spiritual) 웰니스, 정서적(emotional) 웰니스, 사회적(social) 웰니스 등으로 구분할 수 있는데요, 이 하위개념들 중 한두 가지만 높은 수준을 유지하면 웰니스의 수준은 불안전한 것으로 파악합니다. 다시 말해, 이 다섯 가지 개념들이 모두 적정 수준 이상의 수준을 유지해야 웰니스인 것입니다.

웰니스의 다섯 가지 하위개념들 중에 먼저 지적 웰니스란, 개인 또는 조직이 적정한 지적 활동을 토대로 내적 활력을 갖는 것입니다. 상황분석과 의사결정을 위한 구성원들의 이해, 경험, 지혜, 소통 기술, 그리고 내용이 충분할 때 지적 웰니스 수준은 높은 것으로 파악합니다.

신체적 웰니스는 신체 활동에 대한 긍정적 인식을 의미합니다. 잠재적으로 위험한 환경 요인이 없으며, 적절한 영양 상태와 신체 건강 기준에 부합할 때 신체적 웰니스의 수준은 높아집니다. 따라서 조직은 안전한 신체 건강의 기준을 정립하고 이를 구성원에게 제시하는 동시에 위험한 환경 요인을 제거하는 것이 바람직합니다.

다음은 영성적 웰니스입니다. 이는 삶의 목적과 의미에 대한 긍정적인 생각을 뜻합니다. 영성적 웰니스의 수준이 높으면, 삶의 방향을 설정하고 의미를 부여하여 성장하고 도전하며, 동시에 타인에 대한 자비와 호의를 갖습니다. 또한 위기 상황에서는 강인함을 발휘합니다. 영성적 웰니스는 과거 9·11테러 발생 이후 미국인들의 회복탄력성(resilience)에 대한 연구의 기초가 되는 개념으로 사용되기도 했습니다.

정서적 웰니스는 외부의 환경과 조건을 인지하고 받아들여 긍정적 자존감과 확고한 자기 인식을 하는 감정 상태입니다. 따라서 실패와 좌절에 쉽게 무너지지 않는 능력으로 표출됩니다.

마지막으로 사회적 웰니스는 주변의 지지를 기반으로 주위 환경과 상호작용할 수 있는 능력입니다. 즉, 타인을 존중하며 친밀함을 유지 및 발전시키고, 공동체 의식을 통해 사회규범을 준수하는 것을 말하는데요, 사회적 웰니스는 생활방식에 많은 영향을 주는 요인입니다.

 조직은 구성원들의 웰니스 수준을 꾸준히 점검하고 관리해야 합니다. 많은 비용이 수반되는 지원 프로그램을 설계하여 복지 수준을 높이라는 것이 아닙니다. 웰니스의 각 구성요인에 대한 적정 기준과 그 기준을 유지할 수 있는 지침을 제공하고 서로 존중하는 공동체 및 동료 의식을 기반으로 상호 격려와 함께 문제를 해결해나가자는 것입니다. 개인위생에 대한 경각심은 많이 고취되었지만, 보다 넓은 범위로 웰니스의 다면적 요인을 반영할 수 있는 건강 위험도 평가(Health Risk Assessment) 같은 체크리스트를 활용하여 웰니스 위협 요인을 파악하고 개선 모니터링을 하는 것도 하나의 방법이 될 수 있겠습니다. 웰니스에 대한 집착은 예상치 못한 상황을 대비하고 버텨낼 수 있는 강력한 처방이 될 수 있을 것입니다.

워라밸을 위해 이제 일주일에 딱 4일만 일합시다!?

'워라밸(Work & Life Balance)'의 진정한 의미 찾기

지난 2018년 2월, 국회는 근로자 삶의 질을 높이고자 '주 52시간 근무제'를 적용하는 근로기준법 개정안을 통과시켰습니다. 그리고 현재, '주4일제' 도입에 대한 논의가 뜨겁습니다. 비단 우리나라뿐만이 아닙니다. 해외에서도 적극적으로 주4일제 도입 시도가 이루어지고 있습니다. 심지어 아이슬란드는 이미 국민의 90%가 주 35~36시간만 일하고 있고, 벨기에는 근로자 필요에 따라 주4일제를 선택할 수 있는 노동법 개정안을 발표했습니다.

사실, 근로시간에 대한 '제한'은 정부 주도 하에 꾸준히 진행되어 왔습니다. 장시간 근로로 인해 소모된 근로자의 건강과 행복을 되찾는 동시에, 작업 시간을 제한함으로써 가능한 일자리 공유(work sharing)를 통해 고용 창출의 효과를 기대한 것입니다. 그러나 결론부터 말씀드리자면, 그동안 여러 차례 진행되었던 근로시간 단축의 결과는 근로자들의 만족도 상승이나 기업의 신규 고용 창출에 대해 기대했던 변화를 보이지 않았습니다. 오히려 인건비 감소, 생산량 감소로 인해 노동비용만 증가하는 부작용을 낳았습니다. 그럼에도 불구하고 꾸준히 근로시간을 줄여나가는 것은 무엇 때문일까요?

그동안 일과 삶의 관계는 '서로 독립된 영역'에서 '상충 관계'로, 다시 '상호작용 관계'로 발전하였습니다. 일과 삶을 바라보는 최초의 입장은, 각 분야가 서로 영향을 받지 않는 완전히 분리된 영역으로 간주하였습니다. 따라서 어느 한 영역의 영향을 전혀 받지 않으며 다른 한 영역에서 충분히 성공할 수 있을 것이라 보았습니다. 그러나 여성의 사회 진출이 활발해지면서 이 '분리 이론'에 입각한 관점은 설득력을 잃게 되었습니다. 그래서 일과 삶은 서로 분리된 영역이 아니며, 서로 영향을 주고받는데, 하지만 그 영향은 상충 효과를 나타낸다는 관점에 힘이 실리게 됩니다. 즉, 일과 삶 중 어느 한 영역에서 불만족을 느끼게 되면, 다른 한 영역에서 만족을 통해 보상을 받게 된다는 '보상 이론'의 논리가 그 근거입니다. 마치 제로섬(zero-sum)처럼 일과 삶이 서로 만족과 불만의 땅따먹기 게임을 한다는 것이죠. 그런데 이 둘의 관계는 항상 상충의 영향만 주는 것이 아니라, 한 영역에서의 만족이 다른 한 영역으로의 만족을, 혹은 한 영역에서의 불만이 다른 한 영역으로 불만의 영향도 존재합니다. 따라서 일과 삶의 관계는 서로 긍정 혹은 부정의 영향을 주고받는 상호작용이 중요하다는 '전이 이론'의 관점으로 진화합니다. 즉, 한 영역에서의 역할로 인해 발생하는 정서, 행동, 태도 등이 다른 한 영역의 정서, 행동, 태도 등에 고스란히 영향을 주는 심리적인 이월 현상이 나타난다는 것입니다. 여기에서 전이의 방향은 일이 삶에 영향을, 혹은 삶이 일에 영향을 주는 것도 가능합니다. 따라서 일이 삶에 도움이 될 수도, 방해가 될 수도, 삶이 일에 도움이 될 수도, 방해가 될 수도 있는 4개 차원의 전이가 존재하게 됩니다.

재택근무가 하나의 뉴노멀(new normal)로 자리 잡아가고 있는 가운데, 재택근무의 단점을 극복하기 위한 방안으로 업무와 일상을 분리하라는 조언이 가끔 보입니다. 그러나 '전이 이론' 관점에서 업무와 일상은 분리가 어려운 공존의 관계입니다. 일에서 삶으로 혹은 삶에서 일로 부정 전이에 대한 통제가 안 되면 재택근무의 가장 큰 골칫거리로 나타납니다. 그러나 일과 삶 관계에서 긍정 전이의 효과는 일주일에 4일만 일을 해도 충분히 효율적으로, 효과적으로 생산성을 이끌어 낼 수 있다는 가능성을 보였습니다. 따라서 정부가 나서서 꾸준히 근로시간을 줄여나가는 까닭은, 아무래도 근로자들의 일과 삶이 서로 긍정 전이되는 '진정한 워라밸(Work & Life Balance)'을 추구할 수 있도록 하기 위함이 아닐까 싶습니다.

실리콘밸리에서는 워라밸이 아닌 '워라밸 초이스(Work & Life Balance Choice)'라는 단어가 유행이라고 합니다. 일과 삶을 서로 반드시 동등한 무게로 균형을 잡아가야 할 것이 아니라, 일과 삶의 비중을 자신이 원하는 대로 설정하여 추구한다는 의미라고 합니다. 진정한 워라밸은 일과 삶이 공존하며 상호작용하는 가운데 긍정 전이를 극대화하려는 노력에서 발생할 수 있습니다. 긍정 전이를 극대화하기 위해서는 다소 시행착오가 필요할 수도 있습니다. 그러나 워라밸 초이스처럼 개인의 선택과 자율성을 최대한 존중하고 신뢰

한다면, 주4일제는 물론 변화와 혁신을 위한 다양한 인적자원관리 제도의 시행과 그에 따른 효과적인 결과의 기대도 가능할 것입니다.

나는야, 강철멘탈! 회복탄력성 기르기
일곱 번 넘어져도 다시 일어나는 힘!

나는 '강철멘탈'인가요? 아니면, '유리멘탈'인가요? 살면서 우리는 정말 많은, 예상치 못한 난관에 부딪히게 됩니다. 그때마다 우리는 이 두 멘탈 사이를 왔다 갔다 하는데, 항상 천하무적 강철멘탈이면 좋겠지만, 그게 또 뜻대로 되지 않아서 완전히 지치기도 합니다. 그렇다면 우리는 언제 강철멘탈이, 또 언제 유리멘탈이 되는 걸까요?

이 둘을 오고 가는 명확한 기준이 존재합니다. 바로 '회복탄력성'이라는 힘입니다. 회복탄력성이란, 우리가 시련이나 고난의 상황에 처했을 때, 좌절하지 않고 오히려 도약할 수 있는 긍정적인 힘을 말합니다. 그래서 이 힘이 세지면 강철멘탈이 되고, 이 힘이 떨어지면 유리멘탈이 된다는 겁니다. 따라서 이 힘을 계속 기르는 게 아무래도 세상 살아가는 데 도움이 되겠죠?

회복탄력성을 증가시키는 방법은 다음과 같습니다. 첫째, 스트레스 상황에서는 감정적으로 대응하는 것을 멈추도록 노력합니다. 최대한 객관적인 입장에서 자기 상황을 바라보도록 노력해야 합니다. 그리고 '내가 바꿀 수 있는 것' 그리고 '내가 바꿀 수 없는 것'을 냉철하게 구분 지어 봅니다. 그러면 그 상황을 객관적으로 인지하게 되고, 부정적인 감정을 줄일 수 있어서 스트레스 상황을 벗어날 수 있는 돌파구를 찾아낼 수 있게 됩니다. 바로 강철멘탈이 되는 거죠.

두 번째 방법은 절대 좌절하지 말고 내가 할 수 있는 것을 찾는 내는 겁니다. 복잡한 스트레스 상황 속에서는 몸과 마음이 많이 지치겠지만, 그 와중에도 내가 할 수 있는 것을 찾아 집중하면 고무공이 바닥을 치고 튀어 오르듯 힘을 얻을 수가 있어서 강철멘탈로 무장할 수 있습니다.

사람은 실패를 통해 배웁니다. 개인의 경쟁력은 실패를 하지 않는 것이 아니라 실패했을 때 다시 일어나는 것입니다. 다들 어렵고 힘들고 지치더라도 회복탄력성을 증가시켜 스스로 잘 버티며 성장할 수 있기를 바랍니다.

제2부

우리의 안녕

우리 조직 구성원들의 성격, 어떻게 보십니까?

C레벨의 걱정, 무서운 '요즘 애들'

신입사원의 돌직구 이메일, 이게 무슨 129?!

직장 갑질, 이젠 안녕!

꼰대 사용 설명서

팬데믹으로 인해 진화한 온라인 꼰대 탈출하기

수평적 조직문화 만들기

'평등한 현실' 마주하기

안전하고 건강한 근로조건을 위하여

여성 인재의 현재와 미래

초고령 사회를 대비하는 기업의 HR 전략

우리 조직 구성원들의 성격, 어떻게 보십니까?
개인-조직 적합성과 강한 조직문화

여기, 성격(personality)에 관한 흥미로운 연구결과가 있습니다. 성격은 심리학을 기본으로 다수의 인접 학문에서 오랜 기간 연구되어온 주제입니다. 또한 우리는 그동안의 사회활동을 통해 다양한 성격을 접해보았기에 성격에 대한 경험적 누적 지식은 충분하다고 믿고 있습니다. 그래서 우리는 너무도 쉽게 어느 누구의 성격에 대해 서로 다른 견해로 갑론을박하는 경우가 많은데요, 이는 여전히 성격의 개념이나 측정 관련하여 아직 해결되지 않은 채 여전히 남아있는 모호성 때문입니다. 그럼에도 불구하고 성격은 다양한 분야에서 활용되는 하나의 중요한 개인적 요인이고, 특히 기업에서의 활용도가 매우 높은 것으로 보고되고 있는데요, 포춘지(Fortune) 선정 100대 기업의 90%가 채용과 승진에 성격유형(personality type) 진단검사를 활용하고 있다고 밝혔습니다. 그렇다면 앞서 밝힌 흥미로운 연구결과라는 것이 더욱 궁금하지 않으신가요?

"Do birds of a feather flock, fly, and continue to fly together?" 라는 이 연구의 제목은 지난 2018년 저명 학술지 「Journal of Organizational Behavior(조직행동학회지)」에 실려 신선한 충격을

안겨주었습니다. 연구 제목을 우리말로 번역하자면, '유유상종 모이는데, 지속적으로도 함께 지내는가?'라고 표현할 수 있을 텐데요, 한 조직 안에 있는 구성원들이 서로 비슷한 성격유형으로 나타나는 현상을 실증 연구를 통해 밝히고자 한 것입니다. 구직자들은 자신의 성격과 잘 맞을 것이라고 판단되는 직장에 흥미를 느끼며 지원하게 되고, 기업은 조직과 개인의 성격이 잘 부합할 것 같은 구직자를 선발하고, 그렇지 않은 구직자는 제외시킵니다. 그런데 취업한 개인이 이후 그 조직에 맞지 않는다는 생각이 들면 이직을 고려하게 되어 한 조직에 오랜 기간 동안 근무할수록 구성원들 서로의 성격이 더욱 비슷하게 된다는 '유인-선발-소멸'의 논쟁적 이론을, 서로 다른 업종의 세 개 기업을 대상으로 6년의 시간 차를 두고 진행한 연구를 통해 직장 내 성격동질성(within-organizational homogenization) 현상이 존재함을 증명하였습니다. 그리고 성격에 따른 개인의 기업 이탈로 인하여 서로 다른 기업들 간에는 분명한 성격 차이를 보이는 직장 간 성격이질성(between-organizational heterogeneity) 현상도 밝혀냈습니다.

성격의 정의를 보편적으로, 어떤 개인이 다른 사람과 상호작용하는 방식 전체를 일컫는, 측정 가능한 속성으로 표현 가능한 것이라 할 때, 성격유형의 자가진단 결과는 조직의 현재의 상태를 파악할 수 있는 매우 유용한 도구로 활용할 수 있습니다.

개인의 성격과 개인이 수행하는 직무 사이에 적합도(person-job

fit)가 높을 때, 개인의 만족도는 가장 높고 이직률은 가장 낮습니다. 그러나 직무성과로의 직접적인 관련성은 떨어진다고 보고되고 있는데요, 이러한 개인-직무 적합성보다 더 강력한 상호관계성을 보여주는 것이 바로 개인의 성격과 조직의 적합성(person-organization fit)입니다. 개인-조직 적합성이 높을수록 직무만족과 조직몰입이 더욱 높아진다는 결과는, 기업 내 직무 공백 발생 시 해당 직무보다는 조직에 더욱 적합한 개인을 채용해야 함을 암시하므로 앞서 언급된 연구에서 밝혀진 직장 내 성격동질성을 지지하고 있습니다.

단, 직장 내 성격동질성의 강화는 다양성의 제한 측면에서 조직의 변화와 혁신에 걸림돌로 작용할 가능성도 있는데요, 특히 의사결정 프로세스 상에서 다각적 관점의 균형점을 잃은 채 어느 한 면으로 기울어진 결론을 내릴 위험이 존재합니다. 다행히도 이러한 문제는 의도적인 관점의 다양성 훈련을 통해 어느 정도 보완 가능합니다.

분명한 것은 강한 조직문화는 강한 힘을 발휘합니다. 우리 기업의 조직문화가 궁금한가요? 그럼 조직구성원들의 성격부터 파악해보면 되겠습니다.

C레벨의 걱정, 무서운 '요즘 애들'
'세대학'에 근거한 요즘 애들과 잘 지내기

"와, 요즘 애들 무섭다, 무서워."

얼마 전 저녁 식사를 함께하기로 한 모 글로벌 기업의 임원분이 약속 시간이 조금 지나 상기된 얼굴로 자리에 들어오면서 다짜고짜 무섭다고 혀를 내두릅니다. 놀란 마음에 무슨 일이 있었냐고 물었습니다. 퇴근 시간 직전, 자리에서 일을 마무리하고 있는데 한 젊은 여성 직원이 불쑥 나타나서는 '저한테 왜 그러세요?' 하면서 펑펑 울더랍니다. 순간 사무실 전체에 정적이 흐르며 모든 직원들의 시선이 집중. 여기까지, 누가 봐도 이건 막장 드라마 스토리 아니겠습니까? 황당과 당황의 콤비 펀치 맞고 잠시 호흡을 가다듬은 후 그 직원에게 왜 그러냐고 물었더니 '자신의 성과평가 결과가 왜 이러냐?'라는 하소연을 하더랍니다. 일단 '요즘 애들이란 쯔쯔쯔'하며 맞장구치고 대화를 이어갔습니다.

알타미라 동굴 벽화에도, 메소포타미아 수메르 점토판에도, 이집트 피라미드 내벽에도 '요즘 애들'을 나무라는 탄식의 내용이 발견됩니다. 그러나 이 문제를 단지 '세대 차이'라고 치부해버리면 '세대 갈등'을 해결할 방법이 없죠.

'세대학'은 이미 통계적으로 유의미하다고 밝혀졌습니다. 그러나 세대학에 대한 이해가 올바르지 않아 오히려 갈등이 조장되거나 확산되는 경우가 있는 듯합니다. 세대를 올바르게 이해하기 위해 크게 세 가지로 구분되는 접근 방법에 대해 살펴보겠습니다.

먼저 연령 효과에 의한 세대 구분입니다. '라떼는 말이야'라는 말, 아시죠? '나 때에는'으로 시작하는 누군가의 과거 썰 말입니다. 앞서 얘기한 동굴벽화 등에서 발견된 글들과 일맥상통하는 거죠. 젊어서는 혈기 왕성하게 패기 넘치며 도전적이었는데, 나이가 들면서 안정적인 것이 좋고 보수성을 갖게 되는 그래서 '라떼는'에 대해서는 기억 보정을, 아직 철없는 후배들에 대해서는 '요즘 애들은'이라 하며 자발적 꼰대가 되어버립니다. 대체로 우리는 세대 차이를 이 연령 효과의 틀에서 보려 하는 경향이 있습니다.

그러나 코호트 효과에 주목해야 합니다. '코호트(cohort)'라는 말은 팬데믹 때 많이 들어보셨죠? '코호트 격리'란, 감염 질환을 막기 위해 감염자가 발생한 의료기관을 통째로 봉쇄하는 것을 의미하고요, 여기에서 코호트는 어떤 특정한 기간에 태어나 같은 경험을 한 동년배를 의미합니다. 그리고 각각의 코호트(동일 집단)는 일정한 패턴을 보입니다. 그래서 코호트 효과의 틀에서 세대 차이를 바라보고 이해해야 합니다.

마지막으로는 기간 효과가 있는데요, 전 세대가 특정한 기간에 모두가 같은 경험을 하게 되는 것을 말합니다. 전쟁이나 팬데믹 상황이 여기에 해당합니다.

코호트 효과에 의한 세대의 구분은 무 썰 듯이 명확히 나뉘는 개념은 아닙니다. 즉 세대 간 서로 중첩되는 부분이 존재하고요, 개인의 사회경제적 지위(Social Economic Status) 변수도 무시해서는 안 됩니다. 이를 반드시 유념하여, 각 세대에게 두드러지게 나타나는 특성을 파악하면 됩니다.

그렇게 '요즘 애들'이 아닌 'MZ세대'를 이해해보겠습니다. 밀레니얼세대와 Z세대를 아울러서 MZ세대라고 표현하는데요, 우리나라 기준으로 밀레니얼세대는 80년대 중반에서 90년대 중반에 태어난 이들을, Z세대는 90년대 중후반 이후에 태어난 이들이라고 보시면 됩니다.

이들은 태어나면서부터 연결된 세상에 있었습니다. 무슨 말이냐하면, 항상 '디지털 모바일 폰'과 함께 네트워크 안에서 활동하며 성장했습니다. 이들에게 온라인과 오프라인은 경계가 없는 것이고요, 사진이나 영상으로 남기지 않은 일상은 존재하지 않습니다. 그래서 누군가에 의해 기록될지도 모르는 오픈된 공간을 경계하고 개인정보에 대한 인식도 철저합니다. 얼마 전, 초대권을 받아야만 가입이 가능한 '클럽하우스'라는 어플이 인기였죠. 원칙적으로 녹음·

녹화가 불가능하며, 오로지 음성으로만 소통하는 커뮤니티인데요, '폐쇄성'과 '휘발성'이란 특징으로 MZ세대들에게 큰 인기를 끌었습니다.

또한 이들은 항시 위태로운 저성장 경제만 겪어봤기에 경제관념이 투철하고, 보수적으로 행동하지만 사고방식은 매우 혁신적입니다. 기업가정신이 뛰어나다고도 볼 수 있습니다. 실제 다양한 방법으로 수익을 창출한 경험도 많고요.

그리고 '공정성'과 '진정성'에 매우 민감합니다. 그런데 공정성을 인식하는 데에 있어 다소 특이한 점이 있습니다. 특히 우리나라 MZ세대들에게 그 특징이 더욱 뚜렷한데요, 혹시 지난 2018 평창동계올림픽을 앞두고 남북단일팀 구성을 논의할 때 이들이 반대 의사를 밝혔던 이유 기억하시나요? 대의를 위해 왜 개인이 희생해야 하는가가 문제가 되었죠. 분명 논쟁이 존재할만한 사안이긴 하나, 자신의 이해관계를 중심으로, 자신이 불공정한 상황에 처하는 것에 대해 지나치게 반응한다는 점이 지적되었습니다.

여기에 콘텍스트(context), 즉 맥락에 대한 이해가 다소 부족하다는 평도 있습니다. 업무를 수행하는 데에 있어 사실·정보 검색은 거의 완벽하게 잘합니다. 그러나 앞뒤 상황에 대한 파악이 부족한 경우가 많은데요, 그래서 앞서 말씀드린 글로벌 기업의 임원분께서 겪은 일의 원인이 된 거죠. 자신은 분명 일을 매우 잘한다고 생각하기 때문에, 자신의 평가에 대한 최고 결정권자는 자신의 성과가 아닌 다른 이유로 불이익을 주었다는 전개. 그러나 이러한 현상은 앞으로 더욱 심해질 수도 있습니다. 앞뒤 잘라먹은 막장 드라마 찍든가, 조직을 이탈하든가.

신입사원의 입사 후 1년 이내 이직률은 지속적으로 상승하여 무려 50%에 육박합니다. 조직에서는 어마어마한 큰 손실이 아닐 수 없습니다. 따라서 조직은 서로 다른 세대의 배경과 특성을 이해하고 이제 막 진입하는 MZ세대들에게 부족한 부분은 맥락을 잘 이해할 수 있도록, 또한 공정성에 대한 올바른 시각을 갖출 수 있도록 상생을 위한 온보딩 전략을 잘 마련해야 합니다.

신입사원의 돌직구 이메일, 이게 무슨 129?!

합리적 보상설계에 대한 전사적 고민

한 그룹의 총수가 자신의 급여를 반납하겠다고 선언합니다. 그룹 내 해당 기업의 최고경영자는 직원들에게 송구스럽다고 공개 사과를 합니다. 입사한 지 만 3년이 채 안 되는, 스스로는 회사에 불만이 없다는 한 신입직원이 무려 3만 명에 가까운 전 직원에게 '불만'을 토로하는 이메일을 보냈기 때문입니다.

이메일의 내용은 대략 이러합니다. 본인은 이 회사가 좋고 앞으로도 계속 좋아할 건데, 회사와 구성원 간의 신뢰에 문제가 있으니 관계회복을 위해 자신이 나서서 공개 질의를 하는 것이고 경영진은 이에 대한 속 시원한 답변을 내놓으라는 것입니다. 이메일 돌직구 사태는 현재 해당 기업뿐만 아니라 동종 업계는 물론 사회 전반에 일파만파 논쟁을 불러일으켰습니다.

이메일 공개 질의의 핵심은 '임금 만족(pay satisfaction)'에 대한 불만 표출과, 납득할 수준의 '절차적 공정성(procedural justice)' 입증 요구, 이렇게 두 가지로 정리할 수 있겠습니다.

먼저 공정성 관점에서 살펴보겠습니다. 공정성이란 자신의 투입 대비 산출물에 대한 비율, 즉 내가 어떤 일을 하는 데에 있어 투입한 여러 가지 것들(input)에 대해 받은 보상(output)의 비율을 반드시 어느 대상(준거집단, reference group)과 '비교'를 통해 '인식(perceived)'하는 것으로 가정하고 있습니다. 투입 대비 산출의 비율이 비교 대상과 서로 같으면 공정하다고 인식하는 것이고, 어느한쪽으로 치우치면 불공정하다고 인식하는 것입니다. 이때 비교의 대상은 과거의 나, 같은 회사 동료, 동종 업계 동일 직무 수행자 등 그 어느 누구도 가능합니다. 심지어 내가 기대하는 미래의 나 같은 실재하지 않는 존재도 대상이 될 수 있습니다. 다만, 그 많은 선택지 중에서 주로 나와 적절한 관련성을 갖고 있으며 그 대상에 대한 정보 획득이 용이할 때 주된 비교 대상으로 선정합니다. 따라서 공정성은 판단하는 과정에서 제한된 정보의 왜곡과 임의성이 내재된 주관적인 인식입니다.

과거 연공주의 임금체계에서는 공정성에 대한 민감도가 크지 않았죠. 연공서열에 의해 어느 정도 예측 가능한 보상 수준을 파악할 수 있었고, 평생직장의 개념이 지배적이어서 이직 의도가 높지 않았으니 외부 대상과의 비교가 크게 필요하지 않았으니까요. 그러나 성과주의 임금체계가 확산되면서 성과에 따른 개별 보상의 격차가 심화되고, 평생직장의 개념은 붕괴되면서 공정성은 매우 민감한 사안이 되었습니다. 서로의 개별 연봉을 알지 못하도록 근로계약서에 연봉 비밀 유지 조항 같은 것을 넣어두기도 하지만, 요즘처럼 정보가 넘쳐나는 세상에 내부든 외부든 내가 원하는 비교 대상에 대한 결과적 정보를 얻는 것은 일도 아니게 된 거죠. 그러다 보니 보상 격차에 따른 불만이 생기면 보상체계의 합리성에 의심을 품고 절차적 공정성을 문제 삼습니다.

그렇다고 연공주의 임금체계 하에서는 임금에 대한 불만이 없었다는 것은 아닙니다. 임금은 결과적 보상의 특성을 지니고 있습니다. 따라서 임금 만족은, 조직과 개인의 상호 계약관계 속에 노동에 대한 대가로 주어지는 임금에 대한 심리적인 만족감으로 이 역시 개별적인 인지 과정에 많이 의존하게 됩니다. 임금 만족은 공정성처럼 반드시 비교 대상이 있어야 하는 것은 아니지만, 지극히 주관적인 심리 상태이기 때문에 조직 내 개별 구성원 모두를 만족시킬 수 있는 임금체계를 설계하고 운영하는 것은 매우 어려운 일입니다. 그래서 임금에 대한 만족감을 유지 또는 제고하기 위해, 혹은 불만족을 해소하기 위한 방안으로 오히려 공정성 회복에 관심을 두는 것입니다.

성과주의는 앞으로 더욱 확산될 것이며 더욱 고도화될 것입니다. 임금체계도 이에 따라 더욱 복잡해질 텐데요, 개인별로 상당히 차등된 연봉을 공개하지 않으면서 공정성을 입증하기 위해서는 내부 구성원들 간에 충분한 정보 공유가 필요할 것입니다. 개인 연봉 수준에 대한 정보 공유가 아니라, 조직과 구성원에 대한 이해, 일정 원칙에 따른 투명한 의사결정과정에 대한 정보 공유를 강조하는 것입니다. 앞서 다룬 공정성 및 임금 만족은 임의적일 수 있다는 개인적 속성의 한계를 서로 이해하고 있어야 할 것이고, 조직과 구성원 모두가 건설적인 방향으로 나아가기 위해 합리성과 객관성을 기반으로 한 합의 도출 노력이 필요하다는 겁니다. 불만을 잠재우기 위해 그룹의 총수가 연봉을 반납하는 것은 결단코 본질적인 해결방안이 아닌 것이죠.

특히나 신규 노동 인력인 MZ세대의 유입은 더욱 적극적인 소통을 해야 함을 강조합니다. 이메일 투서 사건은 어찌 보면 미성숙한 사회 초년생의 행동으로 비칠 수도 있습니다. 이메일 내용에는 기업조직에 대한 경험과 학습 부족이 고스란히 드러납니다. 정확하게는 사규에 따라 징계감이 될 수 있는 리스크가 존재합니다. 훌륭한 인적자원으로 채용되었지만 온전한 온보딩(onboarding)이 되지 않은 듯하여 아쉽기도 합니다.

이 기업의 역사적 특수한 상황을 감안해 보자면, 그동안 서로 다른 기업의 문화가 충돌하는 와중에 지속성장을 해왔지만 내부적으로는 아직 정리되지 않은 혼란스러운 부분이 없잖아 존재할 것도 같습니다. 그러나 양질의 성장을 거듭해오면서, 또한 향후 더욱 발전하는 기업으로 기대하는 만큼 이번 사건이 내실을 다지는 기회가 되었으면 좋겠습니다. 조직문화의 건전성을 위해 소통과 이해가 반영된 제도 정비와, 다양성을 인정하고 존중하면서 성숙한 구성원이 되기 위한 노력이 따라야 하겠습니다. 무엇보다 가장 중요한 경영

자원인 사람에 대한 이해를 통해 거듭 성장하기를 바랍니다.

직장 갑질, 이젠 안녕!
'직장 내 괴롭힘' 바로 알기

그동안 여러 매체를 통해 '간호계 태움', '땅콩 회항', '물컵 갑질' 등과 관련된 크고 작은 이슈들이 있었습니다. 이러한 '직장 갑질'에 따른 실제적 조직의 유·무형 손실을 추산해보니, 괴롭힘 1건 발생당 약 1,550만 원의 비용이 소요된다고 합니다. 그래서 국가가 나서서 직장인들을 보호하겠다고 법을 개정했고, 이에 따라 사업주는 직장 내 괴롭힘 예방 및 대응 규정을 취업규칙에 반영해야 함은 물론이고, 괴롭힘 방지 교육도 의무적으로 실시해야 합니다.

'직장 내 괴롭힘'은 다음의 세 가지 조건을 모두 충족해야 성립됩니다. 첫째, 직장에서의 지위 또는 관계 등의 우위를 이용하는 것입니다. 때문에 자기 수하에 부하직원을 한 명이라도 둔 상사라면 특히나 더 조심해야 합니다. 무조건 이 사항에 해당되니까요. 둘째, 업무상 적정 범위를 넘어서야 합니다. 이 부분은 조금 애매할 수 있는데, 고용노동부의 지침에 따르면 '업무상 적정 범위'는 사회 통념에 따라 판단한다고 하니, 일단 직장에서는 우선적으로 공과 사의 구별이 필수입니다. 그리고 마지막으로 다른 근로자에게 신체적·정신적 고통을 주거나 근무환경을 악화시킨 결과가 있어야 합니다.

직장 내 성희롱과 마찬가지로 행위자(가해자)의 의도는 중요치 않고, 피해자가 피해를 입었으면 결과적 행위를 인정합니다. 사건의 발생 장소는 반드시 직장일 필요는 없고, 위 세 가지 조건이 충족한다면 온라인은 물론 사적인 공간에서의 발생도 인정됩니다. 또한 신체적·정신적 공격, 인간관계 및 사생활 침해, 정당한 이유 없이 무리한 요구를 하는 것, 또 정당한 이유 없이 과소한 요구를 하는 것도 모두 직장 내 괴롭힘에 해당됩니다.

그런데 문제는요, 그동안 조직은 지속적인 성과 창출을 위해 명령·보고 체계의 수직관계를 중시해왔단 말이죠. 그래서 우리는 직장 내 괴롭힘에 대한 감수성이 무뎌졌다는 것입니다. 정작 직장인들은 직장 내 괴롭힘을 잘 인지하고 있지 못하고, 그러다 보니 나도 모르게 내가 피해자였는데, 이를 깨닫지 못한 채 내가 상급자가 되니 또 나도 모르는 사이 가해자가 되어서 피해자를 양산하고 있다는 겁니다. 바로 괴롭힘의 대물림 현상이 나타나는 거예요. 그러니 내가 무엇을 잘못했는지도 모르는 채 피해자가 되기도 가해자가 되기도 한다는 것 자체가 굉장히 큰 문제인 거죠.

그래서 우리에게는 '인식의 전환'이 필요합니다. 그동안 무심코 지나쳤던 나의 행동과 생각에 대해 다시 살펴봐야 합니다. 나의 언행으로 인해 다른 사람이 어떠한 감정을 느끼는지, 어떠한 영향을 받는지를 세심하게 관찰해볼 필요가 있습니다. 그렇게 나의 행동과 생각에 대해 성찰을 해보면 어떤 게 문제인지를 반성할 기회가 생기거든요. 그렇게 감수성을 높여야 합니다. 이런 성찰이 없으면, 혹여 어느 누군가가 언제 어디서 갑자기 툭 나타나 나로 인해 피해를 입었다고 주장하는데 나는 도대체 무엇을 잘못했는지 전혀 모르게 되는 상황이 벌어지는 거죠. 피해자가 유별나서, 트러블 메이커라서, 사소한 것을 갖고 유난 떤다 한들, 나는 피해자의 상사이고 피해자는 결과적으로 업무의 적정 범위를 넘어선 피해 사실을 주장한다면, 행위자의 의도와는 전혀 상관없이 나는 직장 내 괴롭힘의 가해자가 되는 겁니다. 물론 피해자가 악의적 주장을 폈을 경우 피해자라고 주장한 그 사람은 무고에 따른 엄중한 중징계 처벌을 받을 거지만요.

직장 내 괴롭힘은 방지가 우선입니다. 비용도 비용이지만요, 조직 내 문화가 한번 흐트러지면 회복하는데 매우 많은 자원들의 투입이 필요합니다. 우리 모두 그동안의 언행을 스스로 반성해보고, 수직관계가 아닌 평등한 동료의식을 갖추고 타인에 대한 배려심을 길러야할 때입니다.

꼰대 사용 설명서
'직장 내 괴롭힘 방지법' 시행 그 이후 처방전

힘들고 모진 취준생을 거쳐 한껏 부푼 꿈을 안고 입사한 대기업, 그런데 대기업의 신입사원들이 입사 후 채 1년도 되지 않아 조직을 떠나는 경우가 많다고 합니다. 한 리서치업체의 결과에 따르면요, 그 비율이 무려 삼십 퍼센트 수준이라고 하는데, 입사 동기 세 명 중 한 명은 직장을 그만둔다? 이 정도면 기업은 기업대로, 또 개인은 개인대로 버려지는 비용이 매우 큽니다. 퇴사한 신입사원들에게 직장을 떠나는 이유를 물어봤더니, 이유야 여러 가지 천차만별에 또한 복합적이겠지만 대다수의 공통된 답변 중의 하나는, 바로 '숨막히는 꼰대' 때문이랍니다.

'직장 내 괴롭힘 방지법'이 시행된 이후 꼰대 문화는 지위 혹은 관계의 우위를 이용하는 '우위성'에 있어 위법사항으로 적용될 수 있습니다. 때문에 신입사원의 조기 이탈 문제뿐만 아니라 건전하고 수평적인 조직문화 구축을 위해서 '꼰대 사용 설명서'를 준비해봤습니다.

꼰대의 본래 뜻은 나이 든 중년 남성, 혹은 선생님을 낮추어 일

컬었던 말입니다. 그런데 의미가 조금 바뀌었죠. 이제는 나이나 성별에 상관없이 자신의 생각을 남에게 강요하는 사람을 우리는 꼰대라고 부릅니다.

꼰대의 문제점은 특유의 허세와 과시를 앞세워 '나를 따르라' 강요하는 겁니다. 소위 '답정너(답은 정해져 있으니 너는 대답만 해)' 스타일이죠. 꼰대들은 한때 젊었고, 누구보다 열심히 일했으며, 또한 지금까지의 눈부신 성과를 만들어왔습니다. 조직과 가정을 위해 헌신을 마다하지 않았던 열정적이었던 그들, 그들은 왜, 꼰대가 되었을까요?

여기 두 수학 천재가 있습니다. 둘 다 매우 우수한 성적으로 명문대학을 다녔고 졸업 후에는 실리콘밸리의 살아있는 전설, '구글'에 입사합니다. 구글에서도 둘은, 매우 눈부신 업적을 보이며 승승장구합니다. 그러다 둘 중 한 명이 야후의 CEO로 스카우트 됩니다. 바로 마리사 메이어(Marissa Mayer)입니다. 이때가 2012년, 메이어는 38살이었습니다. 고전하던 야후는 메이어에 대한 기대가 컸습니다. 한데 메이어의 리더십은 소통 불가였습니다. 자신의 능력에 대한 과신은 지나친 자기애를 낳고, 이는 타인에 대한 공감 능력을 떨어뜨리게 되는데, 언제나 성공가도를 달리던 메이어가 바로 꼰대의 전형적인 모델이 되어버린 것이죠. 결국 야후의 가치는 회복을 기대할 수 없이 떨어지며 헐값에 매각되기에 이르렀고 메이어는 2017년, CEO 자리에서 물러납니다. 다른 한 명은 선다 피차이

(Sundar Pichai)입니다. 피차이는 구글에 계속 남아 존중과 성장의 리더십을 보여줍니다. 2015년, 피차이는 구글의 CEO가 됩니다. CEO 자리에 올라서도 피차이는 꾸준히 수평적 의사소통을 강조하며 구글의 성공을 이어가고 있습니다.

꼰대는 자기중심적 사고에 사로잡혀 사고가 경직되어 있고, 편견이 앞섭니다. 게다가 주위의 자극에 대한 민감성이 떨어지며 새로운 학습에 대한 피로도가 쉽게 쌓입니다. 일의 내용보다 형식을 중시하며 서열을 앞세운 권위적인 오지라퍼 꼰대 선배는 우리가 추구하는 평등한 동료의식과 매우 거리가 있어 보이죠. 그래서 기업에서는 이러한 꼰대 때문에 '꼰대 비용'을 치르게 됩니다. 바로 구성원의 몰입 저하, 갈등과 불신 조장 그리고 이탈의 문제인 거죠. 그런데 더 큰 문제는요, 꼰대들이 스스로 꼰대라는 사실을 깨닫지 못한다는 겁니다.

여기에서 우리는 퇴계 이황 선생님의 가르침을 한번 되새겨 볼 필요가 있습니다.

- 세상의 지식에 대해 아는 것보다 모르는 것이 많다.
- 자신이 알고 있는 지식이 틀릴 수도 있다.
- 언제 어디서 누구에게는 배울 것이 있다.

신입사원들이 선배들에게 기대하는 것은 참견이 아니라, 필요할 때 적극적으로 도와주고 조언해주는 것이랍니다. 초불확실성의 시대로 부르는 현재, 정답을 찾기란 어렵습니다. 때문에 메이어가 아닌 피차이가 보여준, 창의적 사고를 존중하는 열린 마음과 서로의 권리와 의무를 성실히 실행하는 평등한 동료의식을 갖춘다면 우리는 집단 창의성을 통해 혁신적 성장을 이루어낼 수 있을 것입니다. 권력과 지위를 내려놓고, 객관적인 시각과 균형 있는 접근으로 내 가치관이 틀릴 수도 있다고 끊임없이 성찰하면서 꼰대가 아닌, 존경받는 선배로서 충분히 공감하고 "함께" 성장할 수 있는 문화를 만들어갑시다.

팬데믹으로 인해 진화한 온라인 꼰대 탈출하기

비폭력 대화(nonviolent communication)의 중요성

혹시, '테레하라' 또는 '리모하라'라는 말, 들어보셨나요? 테레하라는 'telework'과 'harassment'의 합성어이고, 리모하라는 'remote'와 'harassment'의 합성어입니다. 코로나19로 인해 비대면 재택근무가 급격히 확산되면서 '직장 내 괴롭힘'이 온라인 상에서 행해지는 경우가 심상치 않게 나타나고 있는데요, 테레하라와 리모하라는 이러한 신종 온라인 직장갑질을 표현하는 신조어입니다. 일하는 방식의 변화만큼이나 리더의 인식 전환도 빠르게 이루어져야 하는데 그동안 익숙했던 물리적 범위 내에서의 관리 방식을 벗어나지 못하니 의도치 않게 온라인 꼰대가 되어 신종 갑질을 하게 된 것입니다.

온라인 꼰대들은 주로 구성원들의 사생활을 침해합니다. 눈앞에서 구성원들이 사라지니 시간마다 주기적으로 보고를 받아야겠고, 그래도 마음이 놓이지 않으니 화상회의를 통해 '관리'하려 합니다. 그러다 보니 모니터를 통해 보이는 사적인 공간에 대한 간섭이 시작됩니다.

구성원의 주거환경은 일터에서 쉽게 드러나지 않는 지극히 사적인 공간이죠. 재택근무로 인해 일과 가정의 경계가 모호해지고 또 이로 인해 발생할 수 있는 다양한 스트레스 상황 속에서 방어라는 개념도 없이 노출되는 구성원의 사적 공간에 대한 말이나 태도는 괴롭힘, 맞습니다. '쌩얼이네?', '아이 조용히 시켜라!', '집안에 누가 있나?' 등의 말은 무심한 듯하지만 사생활에 대한 감시나 의심, 강요 등이 될 수 있고 이로 인해 구성원들은 상당한 불쾌감을 느낄 수 있습니다.

또 한편으로 재택근무로 인해 소홀해진 관계를 우려하며 온라인 회식도 많이 진행하고 있는데요, 각자의 개별 공간에서 참여하는 온라인 회식은 업무공간을 벗어나는 기존의 오프라인 회식에 비하여 참여를 거절하기 어려운 분위기가 형성되어 여러 괴롭힘이 일어날 수 있습니다.

구성원은 더 이상 관리의 대상이 아닙니다. 꼰대가 되어 지시와 감시를 할 것이 아니라 상호 신뢰를 기반으로 일의 목적을 공유하고 최대한의 선택권을 보장해주어야 합니다. 이때 필요한 것은 바로 '비폭력 대화(nonviolent communication)'입니다.

비폭력 대화는 나와 상대가 다르다는 '배려'에서 시작하여 서로 '신뢰'를 형성하는 것입니다. 상대의 감정을 인정하되 자의적 판단에 갇히면 안 됩니다. 소통은 '본질'에 집중하고, 갈등은 자연스러운 것이며, 서로의 의도를 있는 그대로 받아들일 수 있도록 의식적으로 노력합니다. 오해를 최소화할 수 있도록 공동체적인 합의가 필요합니다.

이러한 변화의 중심에 리더가 있어야 합니다. 재택근무 중에도 일과 가정은 반드시 구분하도록 하고, 구성원에게 충분한 자율성을 부여하여 물리적 공간의 한계를 극복할 수 있도록 합니다. 비폭력 대화를 통한 건전한 조직 내 소통과 신뢰 구축의 노력이 온라인 직장갑질, 테레하라와 리모하라를 예방할 수 있습니다.

수평적 조직문화 만들기
실행은 수직적, 문화는 수평적인 건강한 조직

'수평적 조직문화'에 대한 관심이 뜨겁습니다. 직장 갑질, 꼰대, 밀레니얼 세대 등이 사회적 이슈로 부각되면서 이로써 비롯된 직장 내 갈등을 풀어낼 수 있는 해결안이 바로 조직문화의 재구축에 있다는 믿음에서죠. 그런데 조직문화는, 개인에 비유하자면 마치 '성격'과 같아서 한번 형성되면 변하기가 쉽지 않습니다. 어떻게! 크고 작은 갈등을 수평적 문화로 풀어낼 수 있을까요?

픽사(Pixar)의 에드 캣멀(Ed Catmull)은 이렇게 말합니다.

'문제의 원인은 직급 구조 자체가 아니라 직급에 따라 개인의 가치가 달라진다고 착각하는 개인과 그런 문화에 있다.'

조직 내 위계질서는 업무에 대한 권한과 책임을 분명히 함으로써 빠른 실행과 지속 성장을 이끌어 온 원동력입니다. 그러나 위계구조에 의해 정보가 차단되고 일방적 의사소통이 강조된다면 구성원들은 소외감을 느끼게 되고, 구성원들 간에는 오해와 갈등, 혼란이 발생합니다.

조직 내 구성원들은 조직의 목표를 달성하고자 모인 인간 집단입니다. 구성원들이 각자에게 주어진 역할을 충실히 완수하게 되면 조직은 목표를 달성합니다. 때문에 지시와 보고 등의 '위계구조'는 조직의 목표 달성을 위해 필수적이나, '위계문화'는 구성원들의 사기를 저하시키고 능률을 떨어뜨려 오히려 업무추진에 있어 방해가 될 뿐입니다. 그래서 이때, 경직된 조직을 흔들어 재정비할 필요가 있고, 그 최선의 방안이 '조직문화의 변화'입니다.

수직적 조직문화가 수평적 조직문화로 탈바꿈하는 것은 쉽지 않지만, 임직원들 모두가 노력한다면, 곧 조금씩 변화하는 것을 느낄 수 있습니다. 그 변화의 첫걸음은 '인식의 전환'에서 시작합니다. 우리는 함께 일하는 동료들에 대해 직급을 떠나 나와 동등한 가치를 지닌 존재로 바라보도록 노력해야 합니다. 나이 차이가 난다고, 성별이 다르다고, 업무가 다르다고 동료라는 인식에 차별을 두어서는 안 됩니다. 그렇게 평등한 동료의식을 먼저 갖춘 후, 다음의 세 가지를 확인합니다.

첫째, 서로 '솔직'하고 투명한 의사소통이 이루어지도록 합니다. 최대한 많은 정보를 지속적으로 제공하고 공유하도록 노력합니다. 조직 내 정보의 흐름에 있어서 소외되는 동료가 있어서는 안 됩니다. 그리고 개별 혹은 집단적 의사소통이 활발하게 이루어지도록 합니다. 서로의 의견을 경청하며, 제안하는 아이디어의 유용성 측면을 먼저 생각합니다. 수용자 입장에서 물론 쉽지 않을 수 있습니다. 그러나 유용한 정보를 얻겠다는 자세로 의사소통에 참여하면 좋은 결과를 기대할 수 있습니다. 즉각적인 솔직한 피드백 또한 중요합니다. 그렇게 세대 간, 직급 간 보이지 않는 장벽을 철거합니다,

둘째, 업무수행에 있어 최대한의 '자율성'을 보장합니다. 구성원들에게 자율성이란, 동료로서 가치를 인정받는 동시에 명확한 기대치가 주어지는 계기가 됩니다. 최소한의 기준을 정해 간섭을 최소화하지만, 필요시에는 적극적으로 지원합니다. 그렇게 서로 신뢰를 쌓을 수 있는 기회를 최대한 활용합니다.

셋째, 반드시 서로 '존중'합니다. 실제 업무 수행을 하는 실무자에게 의사결정권을 위임합니다. 위임은 존중의 또 다른 표현입니다. 윗세대의 경험과 노하우, 전문성을 인정하고, 아랫세대의 새로운 사고방식과 행동을 이해합니다. 단순한 세대 차이로 받아들이지 말고, 서로의 입장에서 추구하는 가치를 존중하면서 문제에 대한 발생 원인과 해결안을 함께 고민합니다. 그렇게 서로의 입장 차이를 줄이며 동료의식을 함양합니다.

경영 환경의 급격한 변화에 대응하고 구성원의 다양성을 수용하고자 한다면, 수평적인 조직문화의 구축은 반드시 필요한 과제입니다. 적극적인 소통과 이해를 바탕으로 서로 존중하는 '평등한 동료의식'은 수평적 조직문화 구축에 필수적이며 더욱 건강한 조직이

될 수 있는 튼튼한 뼈대가 될 것입니다.

'평등한 현실' 마주하기
평등은 이상적이 아닌 현실적이어야

늘 그래 왔듯이 지금도, 앞으로도 여전히 그래야 한다는 사고가 오히려 반(反) 현실적 태도라는 사실, 알고 계십니까?

사람은 사람이라는 이유만으로 자기 존중과 더불어 상호 존중 하에 공통의 보편적 지위를 지니고 있습니다. 이를 '존엄성'이라고 표현할 수 있는데요, 존엄성이란 상대적 비교나 평가가 불가능한 인간의 내적 가치입니다. 존엄성은 원래 타고난 자연적 본성이 아닙니다. 인간의 집단 사회 테두리 안에서 삶을 영위하는 인간의 실재 조건을 가려내기 위해 만들어진 개념입니다. 때문에 우리 삶 속에서 존엄성은 남녀노소를 막론하고 모든 인간의 필수조건으로 마땅히 존중되어야 합니다. 그리고 존엄성에 대한 인식의 수준도 사회적으로 민감하게 받아들여야 합니다.

우리는 '인정'과 '존중'을 통해 존엄성의 당연한 권리를 지켜내고 있습니다. 그러나 이 말은 곧, 인정과 존중이 없다면 존엄성이 훼손된다고 볼 수 있습니다. 인간의 존엄성이 훼손되면 우리는 고통을 받게 됩니다. 당사자뿐만 아니라 그가 속한 사회 전체로 고통은 번질 수 있습니다.

　존엄성이 훼손된 사례는 우리 사회에서 종종 나타나고 있습니다. 그래서 존엄성의 권리를 지켜내고자 이에 대한 감수성을 높여 대응하려는 의식적 노력을 하고 있는데요, 그중 하나가 '직장 내 괴롭힘 방지법'의 시행입니다. 존엄성의 한계 범위를 벗어나는 경우가 '괴롭힘'이 되기 때문입니다.

　존엄성은 본성이 아니므로, 구체적인 제도나 태도, 실천 등으로 표현되어야 합니다. 그리고 그 바탕에는 누구나 공평하다는 '평등의식'이 있어야 하고요. 그런데 우리는 평등의식을 잘 갖추고 있을까요? 그동안 당연하게 인식했던 것들이 오히려 불평등을 조장하는 것이었다면요? 그래서 평등이 이상적, 불평등이 현실적이 되어버렸다면, 앞으로도 존엄성 훼손에 대한 문제는 계속 제기될 것 같습니다.

　'괴롭힘'의 재발 방지를 위해서 그동안 우리 사회에서 으레껏 받아들였던 그래서 당연하게 여겨왔던 차별적 대우의 몇 가지 사례를 짚어보도록 하겠습니다.

I. 가정에서
- 넌 몰라도 돼! → 연소자를 무시하는 태도
- 남자는 파란색, 여자는 분홍색? → 성별에 대한 고정관념(젠더 박스,

gender box)

- 애 하나 더 낳아야지? → 사생활 침해
- 여보, 내가 도와줄게! → 가사분담의 불평등

II. 학교에서

- 못 생기고 뚱뚱한 애는 싫어! → 외모에 의한 차별
- 너, 어디 살아? → 경제적 차별
- 계모라서 그래. → 비정상 가정이라는 편견
- 걔는 왕따 당할 만해. → 피해자에 대한 2차 가해, 폭력의 악순환

III. 사회에서

- 여대생, 여배우, 여의사, 여직원, 여선생 → 여성 차별
- 비정규직 주제에 → 노동 차별
- 어린놈이 무슨 근로계약서야! → 청소년 노동에 대한 차별
- 맘충, 급식충, 알바충 → 혐오 표현

※ 출처 : 「차별은 세상을 병들게 해요」 오승현, 개암나무, 2018

몰랐다고요? 사소하다고요? 원래 그랬다고요? 불평등에는 대소강약이 없습니다. 미묘한 차이에서 불평등이 야기되고, 존엄성이 훼손되며, 괴롭힘이 발생합니다.

평등은 이상적인 것이 아니라 현실적이어야 합니다. 그동안 부지부식 간에 받아들였던 불평등을 가려내고, 이를 바로 잡아 존엄성

의 한계를 벗어나지 않도록 있는 그대로의 존재에 대한 인정과 자기 존중 및 상호 존중이 필요합니다.

어느 누구나 공평한 존재로서 괴롭힘 없는 인간의 존엄성 권리를 지켜내기 위해 '평등한 현실'을 만들어 나가는 것은 함께 성장하는 우리를 위한 우리 스스로가 할 일입니다.

안전하고 건강한 근로조건을 위하여
지금 대한민국은 전 국민의 '고용보험 가입 의무화' 추진 중

근로자가 일자리를 잃게 되면 정부에서는 '실업급여' 혹은 '구직급여'라는 것을 지원하여, 근로자가 안정적인 생계를 유지할 수 있도록 합니다. 단, 실업급여는 소득을 보전해 주는 개념은 아니고요, 새로운 일자리를 구할 때까지의 생계를 보조 지원해 주는 정책입니다.

그런데 이 실업급여를 퇴직한 근로자라면 모두가 다 지원받을 수 있는 것은 아니고요, 몇 가지 조건 내지 심사를 거치게 되어 있는데 그중 하나가 근로자가 '고용보험'에 가입되어 있어야 가능합니다. 이 말인즉슨, 우리나라의 모든 근로자가 고용보험의 필수 혹은 의무 가입 대상이 되는 건 아니라는 거죠. 안전하고 건강한 근로조건은 UN 인권조약과 국제적 노동 기준 등에서 보장하는 모든 노동자가 누려야 할 보편적이고 기본적인 권리임에도 우리 현실에는 노동권의 사각지대가 존재하고 있습니다. 대표적인 예로, 고용보험 가입 대상이 아닌 직종으로는 보험설계사, 택배기사, 학습지 방문강사 등이 있는데요, 이들을 '특수고용노동자'라고 부릅니다.

현재 우리나라에는 약 230만 명 정도가 특수고용노동자로서 일을 하고 있다고 추정하고 있는데요, 이들은 어느 한 회사에 오롯이 소속되어 있지 않고, 즉 근로계약을 맺지 않고 있고요, 그렇다고 독자적인 자영업 형태도 아닌 채 노동을 제공하고 그에 따른 수당을 받습니다. 따라서 특수고용노동자들은 그동안 일자리를 잃게 되더라도 실업급여를 받을 수 없었는데요, 이제부터는 고용보험 의무 가입 대상(보험설계사, 학습지 방문강사, 교육교구 방문강사, 택배기사, 대출모집인, 신용카드회원 모집인, 방문판매원, 대여제품 방문점검원, 가전제품 배송기사, 방과후학교 강사, 건설기계종사자, 화물차주 등 12개 직종과 퀵서비스 배달원, 대리운전기사 등)이 되어 비자발적인 실업을 하게 되는 경우 실업급여 수급이 가능해집니다.

기존의 실업급여 수급 조건과 마찬가지로 특수고용노동자들도 자발적 이직이나, 중대한 귀책사유로 인한 이직이 아닌 경우에 실업급여를 받을 수 있고요, 여기에 또 하나, 예전보다 소득이 30% 이상 줄어들었을 때 이직을 하고자 하면 이 경우에도 실업급여 수급 자격조건으로 인정합니다. 즉, 이들에게 소득의 감소는 일자리를 잃은 것과 같다고 보는 것이죠.

참고로 특수고용노동자들의 소득 관련하여서는 현재까지는 6개월에 한 번씩 국세청에 신고를 해왔는데요, 고용보험 가입이 의무화되는 다음 달부터는 매월 신고해야 합니다. 이를 근거로 보험료가 산정이 되고요, 소득 중 경비 20%를 제외한 금액의 0.7%를 사업

주와 노동자가 각각 납부하면 됩니다. 특수고용노동자들에게는 사업장이 여러 곳일 수 있는데, 모든 사업장에서 보험료를 납부해야 합니다.

앞으로 고용보험의 대상 범위는 지속적으로 확대될 것으로 보입니다. 그동안의 노동권 사각지대를 적극적으로 개선하고, 사회의 안전망을 확충하려는 노력에는 인권이 최우선이라는 가장 근본적인 생각이 담겨있습니다. 따라서 모든 사업장에서는 안전하고 건강한 근로조건을 위하여 무엇보다 임직원 모두, 서로가 서로를 존중하는 문화를 강조해야 하겠습니다.

여성 인재의 현재와 미래
대한민국의 여성 인력과 기업 경쟁력

시장이 빠르게 변하고 있습니다. 특히 서비스 산업에서의 변화가 두드러지면서 많은 기업들이 새로운 융복합 서비스 산업 내에서 경쟁력을 확보하기 위해 고군분투 중인데요, 그 중심에 여성 인재들이 매우 중요한 역할을 하고 있습니다.

과거 가계 소비의 결정권자로서 시장에서는 소비 주체의 권위를 지녔던 여성들이 이제는 시장을 주도하고 변화시키는 위치까지 올랐습니다. 일시적 혹은 정치적인 반짝 이슈가 아니라 사회 여러 방면에서 여성들의 활약이 돋보이고 있는데요, 기업에서도 전문적인 지식과 조화로운 감성의 리더십을 지닌 여성 관리자들이 훌륭한 인적자원으로서 성과를 톡톡히 나타내고 있습니다.

그러나 얼마 전, 한 공신력 있는 기관에서 실시한 설문조사 결과에 따르면 이러한 여풍(女風) 현상과는 달리 기업 현장에서 여성들이 체감하는 여성 인력에 대한 인식의 수준은 과거에 비해 그리 나아지지 않은 것 같습니다. 무엇이 문제일까요?

그동안 우리 사회는 소외되었던 여성들의 지위 향상과 복지 증진을 위하여 성별에 따른 사회적 차별을 금하겠다는 법적 근거를 마련하였고 이를 토대로 양성 평등을 위해 많은 노력을 해왔습니다. 여성의 고학력화와 그에 따른 활발한 사회 진출은 고령화와 출산율 저하 등의 사회적 문제와 맞물려 남성 위주의 노동인력 부족을 해소할 수 있게 되었고 일명, 워라밸(work and life balance)이라고 하는 일·가정 양립에 대한 관심과 지원은 ICT 기술 발전에 따른 시공간의 제약 극복과 함께 가사와 육아의 부담을 덜어낼 수 있는 환경을 만들어가고 있습니다.

여기서 잠깐, 우리나라 여성 인력의 위상과 그 변천과정을 살펴볼까요?

지난 60~70년대 대부분의 여성 직장인들은 소위 '여공'이라 불리는 저임금 노동자였습니다. 기업들은, 특히 제조업을 중심으로 남성과 임금 차이를 두고 저임금을 경쟁력 삼아 여성 인력을 활용했었죠.

80년대 들어서면서는 일부 여성 직장인들의 직무가 사무직으로 전환됩니다. 단정한 외양과 싹싹한 태도를 중요시하는 '서무 여사원'들은 조직의 효율성을 높이기 위해 보조하는 역할을 맡았습니다.

그러다 평등, 주로 양성 평등에 대한 문제가 제기되면서 90년대 기업들은 공채를 통해 여성 인력들을 채용하기 시작했습니다. 뛰어난 성과를 보이는 일부 여성 인재에게는 고위급으로 승진 기회를 부여하기도 했습니다. 그러나 이는 다소 상징적인 보여주기식 인사로써 기업은 이미지를 제고하는 수단으로 활용했습니다. 그러나 이러한 변화는 여성 인재에 대한 여러 문제들을 점점 수면 위로 떠오르게 하였죠.

  2000년대 들어서는 각 분야에 전문성을 갖춘 여성 인력들이 등장합니다. 기업의 경쟁자원으로서 여성 관리자들이 대거 발탁되고 이들은 활발하게 조직 생활을 하였지만, 남성 중심의 기업문화와 관행은 여성 인력들의 활동에 장애물이었고 극소수의 여성 인력만이 조직에 남을 수 있었습니다.

  그리고 현재. 기술이 변하고, 시장이 변하고, 사회가 변했지만, 여전히 여성 인재들에게는 유리천장이 남아있는 듯합니다. 민간기업 기준, 여성 관리자의 비율은 20.9%에 지나지 않습니다. 채용, 평가, 승진 등의 인사 전 분야 걸쳐 법적으로 차별을 금지하고 있고 일과 가정에서의 생활을 병행할 수 있도록 지원하고 있지만, 기업 현장에서 여성 직장인들이 체감하는 온도는 전혀 다릅니다.

  훌륭한 여성 인재들의 유출을 막고, 경쟁자원으로서 제대로 활용하기 위해서는 조금 더 적극적인 조직문화 개선이 필요하겠습니다. 우선적으로 직장 내 여전히 존재하는 여성 인력에 대한 편견을 없애야 할 것이며, 남녀 모두 일·가정 양립의 주체자로서 함께 고민하여 솔루션을 모색해야 할 것입니다. 물론 사회적인 인프라도 더욱 확충하는 방안이 필요합니다.

하지만 먼저 기업 내에서, 공정성 확보를 위한 주기적인 점검과 꾸준한 개선만이 인식과 기준의 변화와 제도의 수정·보완, 그리고 건전한 조직문화의 구축을 가져올 수 있습니다.

그리고 여성 스스로도 발전과 성장하려는 노력의 끈을 놓아서는 안 됩니다. 도전적인 업무에 주저하지 않아야 할 것이며 조화를 추구하는 리더십을 발휘하여 관계관리 및 소통의 기술을 연마하도록 합니다. 인간관계와 소통이야말로 성장을 위한 가장 중요한 역량입니다.

자신이 하고 있는 일에 대해서는 기업의 가치 사슬 중 어느 부분에 해당하는지를 확인하고 '잘' 해낼 수 있도록, 업무의 비효율성은 제거하며 온전히 매진합니다. 그러면 기회와 성공은 따르게 될 것이고, 또한 자연스럽게 후배 여성 인재들에게 롤 모델이 되어줄 수 있습니다.

앞으로도 여성 인재들의 활약은 더욱 두드러질 것 같습니다. 그러나 이제는 더 이상 양성 평등의 개념이 아닌, 이를 초월하여 공정성과 합리성 그리고 다양성을 추구하는 관점에서 여성 인력의 활용

문제는 기업의 지속성장 여부와도 직결될 수 있는 매우 중요한 필수 경쟁자원으로 봐야 할 것입니다.

초고령 사회를 대비하는 기업의 HR 전략

우수한 고령인력 지원 및 활용방안

100세 시대에 접어들면서 우리 기업들도 인구 고령화 추세에 맞추어 정년을 연장하고 임금피크제를 도입하는 등 다양한 대응 방안을 구축하고 있습니다. 그러나 출산율이 급락하면서 고령인구의 비율은 상대적으로 더 빠르게 증가하고 있는데요, 우리나라 근로자의 평균 연령은 이미 40세를 넘은 것으로 나타나, 총인구도 감소 중이지만 생산가능 인구는 더욱 빠르게 감소 중인 것이죠.

65세 이상의 인구가 국가 전체 인구에서 차지하는 비율을 기준으로, 7% 이상이면 고령화 사회라고 합니다. 우리나라는 지난 2000년에 고령화 사회에 진입했고요. 14% 이상이면 고령 사회라고 하는데, 우리는 2017년에 진입했습니다. 20%가 넘어가면 초고령 사회라고 하는데, 우리나라는 2025년에 초고령 사회에 진입할 것으로 예상하고 있습니다.

과거, 고령의 근로자는 신체적 능력의 저하로 인해 기업의 생산성 문제에 있어 긍정적인 요인이 되지 못했는데요, 지금은 많이 달라졌죠. 과거에 비해 근로자들의 신체적 능력이 많이 향상되고 있을

뿐더러 과거처럼 육체노동이 생산성 향상의 중요한 투입요소가 되지 않거든요. 오히려 축적된 경험과 노하우가 기업의 경쟁력을 유지하고 향상하는 데 도움이 되는 경우가 많습니다.

다만, 우려되는 점은 연공서열에 따른 위계적 기업문화와 그에 따른 조직 내 갈등 문제입니다. 따라서 기업이 초고령 사회 진입을 앞두고 가장 중요시해야 될 문제는 수평적 기업문화의 구축입니다. 조직의 구조가 역 피라미드형으로 바뀌어 가고 있습니다. 따라서 승진 적체가 심화될 것이며, 관리자의 리더십에도 변화가 있어야 합니다. 더 이상 연공서열, 상명하복이 아닌 모두가 동등한 동료로서, 참여적 소통이 필요합니다. 나이나 직급 상의 위계는 떨쳐내고 서로 협력하며 소통하는 동등한 수평적 문화를 갖추어 나가야 합니다.

또한 합리적인 평가/보상 구조가 마련되어야 합니다. 장기적인 관점에서 개인의 성과, 능력, 역할 등을 고려하여 가장 공정하고 합리적인 인사제도를 구축해야 할 것인데요, 초고령 사회를 앞둔 시점에 모두가 상생할 수 있는 인사체계로 직무급제를 추천합니다. 속인적 요소가 아닌 직무를 중심으로, 직무의 가치를 평가하여 지속적인 개인과 조직의 성장을 도모할 수 있는 유효한 평가/보상 제도입니다. 평가와 보상이 직무에 근거할 때, 신규인력, 기존인력 그리고 고령인력 모두에게 친화적인 조직이 될 수 있을 것입니다.

그리고 인력개발에 더욱 힘써야겠습니다. 기업은 앞으로 더욱 근로자에게 지속적인 능력 개발을 지원해야 할 텐데요, 빠른 환경변화에 대응할 수 있게 하기 위함이죠. 그런데 고령 인력일수록 교육훈련 지원이 더욱 중요합니다. 정체되어 있는 역량을 계발하여 변화에 능동적인 대응을 하게끔 새로운 지식과 기술을 주기적으로 학습할 수 있도록 체계적인 지원이 필요합니다.

이때, 리버스(reverse) 멘토링, 역(逆) 멘토링이라는 제도를 추천합니다. 변화에 민감한 젊은 근로자와 경험이 풍부한 고령 근로자를 매칭하여 고령 근로자가 최신의 트렌드를 접할 수 있게 하는 프로그램인데요, 젊은 근로자들도 이 프로그램을 통해 노하우를 전수받을 수 있어서 효과가 좋습니다.

또한 생애주기에 맞춘 경력개발제도를 운영하는 것도 추천합니다. 자신의 경력경로를 설계하는 데 조직의 지원이 있다면 더욱 안정적이고 성공적인 미래를 그려볼 수 있겠죠. 조직을 떠난 후 은퇴를 할 것인지, 재취업을 할 것인지, 창업을 할 것인지 등 개인의 다양한 요구에 맞는 경로를 설정하고 미리 준비할 수 있도록 지원하는 것은 큰 동기부여가 될 수 있을 것입니다.

마지막으로 정부의 지원제도를 적극적으로 활용하는 것입니다. 고령인력의 증가에 따라 정부에서는 실질적인 여러 지원제도를 제공하고 있는데요, 2019년, 고령자고용법 시행령이 개정되면서 고용보험 피보험자 1,000명 이상의 기업에 대해 고령자의 재취업지원이 의무화되었습니다. 또한 정년을 넘긴 근로자를 계속 고용할 경우 '고령자 계속고용장려금'을 통해 임금의 일부를 지원하고 있습니다. 따라서 기업은 인건비 등의 부담을 덜어내면서 고령인력을 적극 지원 및 활용할 수 있습니다.

기업의 존속 및 성장에 가장 필요하고 중요한 자원은 바로 인적 자원입니다. 초고령 사회에서도 예외는 아닐 텐데요, 우수한 능력과 수많은 경험 그리고 노하우를 축적한 고령인력을 경쟁자원으로써 잘 활용할 수 있어야 하겠습니다.

제3부

같이 성장

삼시세끼 유해진님, 당신의 KPI는 어획량이 아니랍니다

뉴 노멀의 시대, 그리고 '성과주의'

통계가 알려주는 인적자원관리의 진실과 거짓

올림픽 금메달에서 배우는 인적자원관리의 성공 원칙

자원기반이론으로 살펴본 인적자원 쟁탈전

회사와 구성원 사이 밀당의 한 수, '스톡 그랜트'

어쩌다 재택근무

재택근무를 하면 임금을 삭감하겠다고요?

우리 회사의 '핵심인재'는 무슨 생각을 하고 있을까?

여성 리더의 핵심 역량, '자기주도성'과 '효능감'

N잡러에게 업무 총량의 법칙이란?

일 잘하는 '척'하는 사람 vs. '찐' 일잘러

저성과자 해고의 적법과 위법은 종이 한 장 차이

벼랑 끝에서 천재 화가 피카소의 언런을 시도하다

사내교육, 일회성이 아닌 '학습 여정'으로 설계해야

삼시세끼 유해진님, 당신의 KPI는 어획량이 아니랍니다
위기경영, 뜻밖의 수확과 잘못된 KPI 바로잡기

아무래도 '금요일'은 거의 모든 직장인들을 설레게 하는 날인 듯합니다. 특히 금요일 저녁이 되면 지난 5일간의 고된 업무를 마치고 이틀 연속된 휴일을 맞이하게 되니 그 누군들 어찌 즐겁지 않겠습니까? 얼마 전에는 저의 금요일 저녁을 더욱 행복하게 해주는 것이 있었습니다. 바로 나영석 PD의 예능 프로그램 '삼시세끼 어촌편 5'였는데요, 외딴 어촌 마을에서 반 강제적으로 자급자족을 해야만 하는 배우 차승원과 유해진의 티키타카는, 재미는 물론이고 감동까지 준다니까요. 삼시세끼 프로그램은 저에게 갓 끓인 눌은밥에 넣는 간장 반 스푼, 참기름 반 스푼이랄까요? 그 짭조름하고 고소한 재미가 주중에 받은 스트레스를 싹 잊게 해주었거든요.

3회 차에는 이들이 위기에 봉착하며 긴장을 고조시켰는데요, 무슨 일이 있었는지 '성과관리' 측면에서 살펴보겠습니다.

역할분담과 성과

일단 사건의 내막을 살펴보겠습니다. 배우 유해진은 삼시세끼에서

바깥일을 담당하고 있습니다. 배우 차승원이 주로 담당하는 요리를 제외한 업무들이죠. 그중 가장 큰 비중은 음식 재료를 확보하는 일입니다. '어촌편'답게 대부분 바다에서 신선한 음식 재료를 얻어야 하겠죠. 그래서 이번 시즌에서 유해진 님은 배 운전면허도 땄더라고요.

이날의 예상 저녁 메뉴는 '생선' 튀김이었습니다. 그런데! 바다에서의 수확이 전혀 없었어요. 게다가 첫 번째로 맞이하는 게스트 배우 공효진마저 빈손으로 왔네요.

긴급 위기경영 선포와 대응전략 그리고 뜻밖의 혁신

무인도나 마찬가지인 외딴섬에 식량이 없다니, 비상사태 선포해야죠. 전 인원 모두 낚시에 투입됩니다.

유해진 : "총력전을 펼쳐야 될 거 같아."

차승원 : "무조건 바다로 나가야지."

그런데 입질은 있으나, 미끼만 홀랑 빼먹는 물고기들. 결국 낚시 대실패! 통발이 '텅발'로. 이 또한 대실패! 투입되었던 요리팀은 빠르게 본업으로 복귀합니다. 그리고 한정된 음식 재료로 고민 끝에 뜻밖의 "혁신"을 일궈냅니다.

차승원 : "그냥 무만 넣고 쌩 뭇국으로 한번 끓여볼게. 온리 퓨어 심플 뭇국."

오로지 '무'만 들어간 '뭇국'이라뇨! 누구도 상상치 못한 것을, 그것도 기가 막힌 맛으로 만들어냅니다.

공효진 : "뭔가 이 뭇국에서는 불맛이 느껴져요."

어떻게든 한 끼 밥상이 훌륭하게 마련되었습니다. 배우 차승원의 요리 역량이 이런 어려운 때 빛을 더 발하게 되었네요. 차승원 성과 평가 급상승 +++(트리플 플러스).

반면, 배우 유해진, 집에 못 들어가고 한없이 바닷가를 서성거립니다. 자신의 역할을 제대로 하지 못함에 자책을 합니다. 심지어 죄의식까지 느낍니다. 자신의 낚시 실력이 부족하다는 것은 이미 알고 있었고 때문에 낚시를 통한 수확보다는 통발에 기대를 걸고 있었는데 이마저 뜻대로 되지 않으니 무척이나 괴로워합니다. 유해진 성과 평가 급하락 ---(트리플 마이너스).

효율적인 조직관리의 기초, 분업

조직에서는 한 사람이 모든 일을 다 처리할 수 없기 때문에 분업은 필수입니다. 구성원들은 각자 할당받은 업무에 최선을 다하며 조직의 생산성 향상을 위해 노력하죠. 이때, 효율적인 조직관리를 위해서 명확한 업무분장과 성과평가가 필요합니다. 조직에서 반드시 필수적인 일이 분담되었는지, 각자의 능력에 맞게 역할이 주어졌는지, 성과를 창출하기 위해 개인역량은 개발하고 있는지, 부족한 자원은 어떻게 투입되어야 하는지 등등을 살펴봐야 합니다.

배우 유해진이 맡은 주 업무는 삼시세끼에서 필수적인 업무인 '음식 재료 확보'입니다. 보다 많은 수확량을 위해서 배 운전면허도 땄고요, 긴급시 다른 구성원들의 지원도 받았습니다. 그런데도 성과는 0(zero, 제로).

CEO의 고민

이럴 때, 조직의 최고의사결정권자는 어떠한 결단을 내려야 할까요? 대부분 '인력 교체'를 감행할 것입니다. 담당자에게 결과에 대한 책임을 물으며 자리에서 물러나게끔 압력을 가하겠죠. 그리고 그 자리를 대신할 유능한 인물을 찾을 것입니다. 아니면 시장을 접어야겠죠. 바다에서의 수확을 포기하고 다른 유망한 시장을 찾아 나서야 합니다.

하지만 두 방안 모두 완벽한 해결안은 아니죠. 첫 번째 방안은 그동안 잘 쌓아온 조직문화의 건전성을 해칠 수 있고, 두 번째 방안은 그동안 투입되었던 자원에 대한 회수가 어려울 수 있습니다.

핵심역량 파악

그럼 결단 전, 현상에 대한 진단을 다시 해볼까요? 배우 유해진의 역량부터 살펴보겠습니다. 유해진 님은 자신의 낚시 실력이 좋지 못하다는 것을 알고 있었어요.

유해진 : "낚시가 늘 잘 되진 않고……, 또 제가 실력이 좋질 못하니까……."

낚시와 인연이 없다고 여러 번 되뇌었죠. 그렇다고 운만 바라면 안 되니, 이를 보완할 수 있게끔 배 운전면허를 취득했고 통발의 위치 포인트를 잘 파악했습니다. 그러나 역시 바다로부터 음식 재료 획득의 수단은 단연코 "낚시"였습니다. 주어진 역할에서 생산성 향상을 위해서는 무엇보다 낚시 실력을 키웠어야 합니다. 그래야 '어복이 실력'이 되는 결과를 가져올 수 있었겠죠.

"조직에 필요한 핵심역량 = 낚시 실력"

조직의 지원 전략 분석

그리고 조직의 지원 전략 살펴볼까요? 비상사태, 전 구성원이 바다낚시에 투입됩니다만 어느 누구도 낚시에 대해 아는 사람이 없습니다. 투입이 매우 큰, '못 먹어도 고' 전략은 희망 고문만 가중될 뿐입니다. 이럴 땐 실력 있는 낚시꾼을 게스트로 섭외하는 방법도 있을 수 있었겠네요.

"효과적인 조직 지원 전략 = 외부 자원의 투입"

다시 원점, 조직의 사명(mission, 존재 이유)

그러나, 삼시세끼의 목적은 '매 끼니 풍성한 식탁'이 아니라는 거죠! 삼시세끼의 목적은 시청자들에게 재미와 감동을 선사하는 것입니다. 그렇게 높은 시청률을 유지하는 것이죠. 때문에 유해진 님의 KPI(key performance indicator, 핵심성과지표)는 어획량이 아닙니다. 유해진 님은 실력 있는 낚시꾼이 될 필요도 없습니다. 배 운전 면허를 취득한 것만으로도 시청자들에게 새로운 도전과 경험의 대리 만족감을 주었습니다. 따라서 '바다로부터 음식 재료 확보'라는 자신의 역할에 충실한 결과를 못 보인 것에 대해서 어느 누구도 그를 탓할 수 없습니다. 최선을 다하는 모습으로 보는 이로 하여금 감동과 웃음을 선사한 것이 곧 유해진 님의 +++(트리플 플러스) 성과입니다.

그러나 여전히 존재하는 조직의 실수

KPI가 조직의 성과 달성을 위해 매우 필요한 지표인 것은 맞습니다. 그러나 여러 조직에서 잘못된 KPI 설정으로 인해 효율적인 조직관리가 제대로 이루어지지 못하고 있는 현상을 종종 보게 됩니다.

KPI는 개인 혹은 부서에 분업화된 역할로부터 설정하는 것이 아니라, 조직의 사명, 비전, 전략, 중장기 목표, 단기 목표, CSF(critical success factor, 핵심성공요소) 등 맨 윗단에서부터 순차적 단계를 거치며 구체화, 정교화 과정을 통해 일관성 있게 마련되어야 합니다. 그렇지 않으면, 유해진 님이 사라지고 갑툭튀 어느 실력파 낚시꾼이 등장하여 삼시세끼의 재미와 감동을 앗아갈 수도 있습니다.

무엇보다 중요한 건 조직문화의 건전성 유지하기

다음날 혼자 배를 타고 낚시 나간 유해진 님은 식사 시간에 복귀하는 것을 마다합니다. 부지런히 움직여서라도 밥상에 물고기 올리겠다는 거죠. 차승원 님은 단출하지만 정성스럽게 도시락을 준비하여 보냅니다. 그렇게 조직문화는 훈내 나는 건전성을 유지합니다. 아니 더욱 건강한 조직문화로 성장하여 고객에게 더 큰 웃음과 행복을 전달하였습니다.

우리 조직은 사명에 따라 올바른 KPI를 설정하여 운영 중인가요? 개인 혹은 부서의 KPI를 다시 점검해보며 우리 조직문화의 건전성에 대해서도 다시금 생각해보는 시간이 되었으면 좋겠습니다.

뉴 노멀의 시대, 그리고 '성과주의'
'성과주의'에 대해 다시 생각하기

지난 2008년, 미국 부동산 시장의 버블 붕괴로 촉발된 글로벌 금융위기는 이후, 저금리·저성장 기조를 사회적 배경으로 안착시켜 뉴 노멀(new normal), 새로운 정상의 시대를 만들어냈습니다. 뉴 노멀은 사회 전반에 걸쳐 언제 어디서나 '불확실성과 공존'하고 있으며, 기업에서는 상시적 위기관리 속에 성과 창출에 대한 갈망이 그 어느 때보다 간절해졌습니다. 때문에 개인은 조직에서 높은 성과를 만들어야만 하는 것이 조직에서 취할 수 있는 최고의 선(善)이라는 인식이 팽배해졌는데요, '성과주의'에 대해 다시 한번 생각해보도록 하겠습니다.

성과주의는 적자생존의 기본원칙에 따라 급변하는 경영환경 속에서 살아남고자, 치열한 경쟁의 원리로 도입되었습니다. 구성원들의 책임감 그리고 기업가정신을 최대한 발휘할 수 있도록 '경쟁'을 하나의 성장 동력으로 삼아 재무적 성과를 도출해내는 데에 기여를 하였습니다. 그렇기에 더 많은 기업들이 지속적으로 성과주의 인사제도를 채택하고 있는 추세입니다. 그러나 단기적 성과에 집착하고, 조직 내 협력을 저해하는 등 과다한 경쟁이 낳은 부작용도 적지 않게 드러나고 있습니다.

뉴 노멀의 시대에서는 경쟁보다 '협력'과 '배려'의 가치가 강조되고 있습니다. 따라서 경쟁을 강조하는, 성과와 보상을 연계하는 단순 성과급제의 운영은 뉴 노멀의 시대에서 추구하는 가치와 대치되는데요, 그렇다면 이 이슈를 어떻게 풀어낼 수 있을까요?

솔루션을 위한 접근 중에 가장 눈여겨봐야 할 방법 중의 하나는 성과평가를 위한 상대평가의 맹신에 대한 자각입니다. 대부분의 기업에서는 개인의 성과를 평가하기 위해 모든 구성원의 성과 결과가 정규분포에 따른다는 전제 하에 강제 할당의 상대평가를 진행하고 있습니다.

정규분포라는 것은 개인 성과 값의 분포가 평균값을 중앙으로 하여 좌우 대칭으로 종 모양을 이룬다는 것입니다. 예를 들면, S등급은 10%, A등급은 20%, B등급은 40%, C등급은 20%, D등급은 10%, 이렇게 말이죠. 그러나 정규분포는 단일하고 독립적인 인과관계에서 성립 가능한 것인데, 조직 내 개인의 성과는 다양한 상호 영향을 받으며 형성되는 것이기에 정규분포에 따른다는 전제가 잘못된 것이죠.

실제 한 연구에서는 분야별 직업 종사자와 그에 해당하는 개인 성과를 측정하여 정규분포를 따르는가 분석해보았는데요, 그 결과

연구 대상 분야 모두, 정규분포가 아닌 멱함수 분포로 나타났습니다. 멱함수 분포란 오른쪽으로 갈수록 뚝 떨어지는 듯이 급감하다가 긴 꼬리 모양을 형성하는 둥근 'L'자 패턴을 말하는데요, 즉, 고성과자군에 해당하는 개인은 매우 소수라는 것입니다.

기업은 채용 시 일정 기준 이상의 우수한 적격자를 선발했을 것입니다. 선발된 구성원들은 각사의 기준에 맞는 인재들일 것이고, 이들의 역량 및 성과의 수준은 서로 크게 차이 나지 않을 것입니다. 그렇기에 개인의 성과는 정규분포에 따르는 것이 아니라 멱함수 분포에 따라서, 대부분의 성과는 유사하지만 그중 일부는 매우 뛰어난 성과를 보인다는 것이 더욱 설득력을 갖게 되겠죠. 결국 개인 성과의 상대평가는 올바른 성과평가 방법이 아니게 된 셈입니다. 오히려 성과에 따른 보상이라는 성과주의 기본 가치와 철학을 정규분포의 강제 할당으로 훼손하고 있었습니다.

상대평가의 대안으로 여러 선진 기업에서는 상대평가를 폐지하고 절대평가를 도입하거나 멱함수 분포에 따라 평가와 보상을 연계하는 등의 솔루션을 찾고 있습니다. 또한 개인 간 경쟁보다는 협력 증진을 위해 개인 성과급 제도보다 집단적 성과급 제도로 비중을 옮기기도 합니다.

뉴 노멀의 시대, 성과주의에 대해 다시 한번 점검하고 함께 일하는 동료에 대한 신뢰를 기반으로 하는 상호 '협력'과 '배려'를 성장

동력으로 삼아 새로운 더 큰 가치를 창출하는 데에 힘써야겠습니다.

통계가 알려주는 인적자원관리의 진실과 거짓
통계 기반 HR 이슈 팩트 체크

그동안 맹목적으로 믿어왔던 혹은 아리송했던 몇 가지 HR 이슈에 대해 세계적인 IT 대기업, 구글의 통계 결과를 바탕으로 그 진위를 확인해보는 시간을 가져보도록 하겠습니다.

첫 번째, 조직에서 인재육성시스템을 잘 갖추는 것보다 앞서 중요한 것은 무엇일까요?

조직에서 구성원들에 대한 교육, 매우 중요하죠. 인간에게는 무한 잠재 능력이 있으니까요. 때문에 조직에서는 구성원들의 역량을 최대치로 끌어내기 위해 다양한 방법으로 많은 노력을 하고 있는데요, 그런데 이보다 더 중요한 것이 있습니다.

그건 바로 '채용'입니다. 조직으로 유입되기 이전, 즉 선발 단계에서 우선적으로 인재를 잘 가려내는 것이 인재 활용 측면에서 교육 ROI 효과를 더 크게 볼 수 있다는 사실! 그래서 조직에서 효과적인 HR을 위해서는 무엇보다 '전략적 채용'에 더 투자를 해야겠습니다.

두 번째, 최상위권 대학의 일반 졸업생 vs. 중상위권 대학의 최우수 졸업생, 둘 중 누구를 채용하시겠습니까?

결과적으로 이 둘의 직무 성과는 비슷합니다. 단, 채용 후 2~3년이 지나서요. 그렇다면 신입사원 시절에는요? 채용 직후에는 중상위권 대학의 최우수 졸업생이 더 성과가 좋은 것으로 밝혀졌는데요, 즉 학벌은 직무 생산성에 영향을 미치는 큰 요인이 아니라는 거죠. 채용의 공정성을 높이기 위해 블라인드 채용 많이 진행하고 있는데, 학벌 중심의 채용은 이제 사라져도 되겠습니다.

세 번째, 구성원의 이직에 가장 큰 영향을 미치는 요인은?

관리자의 수준입니다. 직속 상사의 리더십 때문에 조직을 떠나는 혹은 떠나겠다는 것은 조직문화에도 매우 악영향을 미치게 되는데요, 그래서 '리더십 파이프라인(leadership pipeline)'에 따른 리더십 교육은 매우 중요합니다.

사원 시절 성과가 좋았다고 해서 그 사원이 관리자가 되었을 때도 성과가 유지되는가? 그렇지 않습니다. 왜냐면 역할이 바뀌었잖아요. 리더로서의 역할과 책임을 제대로 인식하지 못하면 제대로 된 리더십을 발휘할 수 없고 이는 곧 관리자의 수준을 떨어뜨려 구성원 이직에 큰 영향을 미치게 되는 겁니다.

요즘 여러 조직에서 수평적 조직문화 구축을 위한 '갭 브릿징(gap bridging)' 워크숍을 많이 진행하는데요, 구성원 간 세대차이, 직급차이, 성별차이 등등에서 발생하는 오해를 서로에 대한 이해로 바꾸자는 노력입니다.

리더십 파이프라인에 따른 리더십 교육과 갭 브릿징 워크숍 등은 이직률을 낮추기 위해, 건강한 조직문화를 구축하기 위해 바로 실시할 것이 좋습니다.

네 번째, 조직 내 구성원의 성과는 정규분포를 이룬다?

아닙니다! 구성원들의 성과는 정규분포가 아닌 멱함수(power curve) 분포로 나타나는 것으로 확인되었는데요, 멱함수 분포란 오른쪽으로 갈수록 뚝 떨어지는 듯이 급감하다가 긴 꼬리 모양을 형성하는 둥근 'L'자 패턴을 말합니다. 즉, 대부분의 성과 수준은 비슷하고(대체로 우수), 고성과자군에 해당하는 구성원은 매우 소수라는 것인데, 때문에 구성원들에 대한 평가는 절대평가를 통해 멱함수 분포에 따라 평가와 보상을 연계하는 등의 솔루션이 필요합니다.

이상, HR 이슈에 대한 통계에 기반 팩트 체크를 해봤는데요, 그동안 우리 조직에서는 혹시나 HR에 대한 오해가 있지는 않았는지 확인해보셨을 겁니다. 조직에서 가장 중요한 자원인 인적자원, HR 에 대한 정확한 진단과 그에 따른 적합한 솔루션 구축만이 건강한 조직의 지속성장을 기대할 수 있습니다.

올림픽 금메달에서 배우는 인적자원관리의 성공 원칙

뛰어난 실력, 공정한 평가 그리고 적극적인 지원

유난히 무더웠던 지난 2021년의 여름, 우리의 마음마저 뜨겁게 적신 사건이 있었죠? 바로 2020 도쿄 올림픽입니다. 팬데믹으로 인해 올림픽 개최가 한 해 연기되었지만, 여전히 코로나가 기승을 부리는 불안한 상황에서, 안전성 논란을 뒤로하고 관중 없는 개막식이 거행되었습니다. 결국 무리하게 개최를 추진한 일본 입장에서는 이익보다는 손해가 매우 컸다고 하는데요, 반면, TV 중계를 통해 올림픽을 즐길 수 있었던 우리 입장에서는 개최하길 잘했다는 생각이 들기도 합니다. 박진감 넘치는 운동 경기를 보면서 그동안의 답답함을 날려버릴 수 있었거든요. 여러분들은 어떤 경기가 가장 인상적이었나요?

저는 단연 '양궁'을 꼽고 싶습니다. 양궁은 우리에게 '파이팅' 넘치는 첫 번째 금메달을 안겨주었고, 여자 단체는 무려 올림픽 9연패라는 어마어마한 성과를 달성했습니다. 이러한 성공의 비결에 대해서 많은 분석이 있는데요, 저는 인사·조직 전문가 입장에서 크게 세 가지의 성공 원칙으로 제시해 보겠습니다.

첫 번째, 일단 양궁 대표팀은 개개인이 모두 뛰어난 실력을 갖추고 있었습니다. 실력 없는 사람은 절대 국가대표가 될 수 없었습니다. 정말 잘하는 사람, 뛰어난 선수를 가려내서 대회에 출전시켰거든요. 학연, 지연, 혈연 – 이런 거 전혀 없었죠. 평가에서 가려진 선수만이 국가대표가 자격을 얻을 수 있었습니다.

두 번째는 공정한 평가입니다. 여러분들은 일을 하면서 지속적으로 평가를 받게 됩니다. 평가를 하는 입장이 되기도 하고요. 그런데 평가에 대한 가장 기본적인 개념을 잊고서 평가하는 경우가 종종 발생하고 있습니다.

평가의 기본 개념이 무엇이냐면, 평가는 일단 목적이 있어야 합니다. 이 평가를 통해서 어느 곳에 활용하겠다는 평가의 목적이 분명하게 있어야 합니다. 올림픽 양궁 같은 경우에는, 양궁 국가대표 선발전을 통해서 도쿄 올림픽에 출전시키겠다라고 하는 분명한 목적이 있었죠. 그래서 2020년에 이미 국가대표를 선발했습니다. 그런데 올림픽이 1년 미뤄지니까, 다시 선발 평가를 진행합니다. 2020년의 컨디션과 2021년의 컨디션은 분명히 다르니까요. 그래서 김제덕 선수는 2020년에는 어깨 부상으로 국가대표 선발이 되지 못했는데, 2021년에는 부상이 회복되어 선발될 수 있었다고 하거든요. 이것이 첫 번째 평가의 기본적인 개념입니다. 그리고 두 번째 개념은, 평가의 기간이 명확하게 정해져 있어야 합니다. 실적 평가를 받거나 할 때, 연 평가다 그러면 해당 연도의 연초부터 연말까지, 월

평가다 하면 특정 월초부터 월말까지, 이런 기간이 반드시 정해져 있어야 합니다. 그러다 보니 과거의 올림픽 골드 메달리스트 같은 경우에도 아무리 과거에 올림픽에서 메달을 땄다 하더라도, 지금 현재 이 평가의 기간 내 성적이 충족되지 못하면 탈락하는 겁니다. 여러분들 중에 혹시 내가 작년에 일을 잘 못 했는데, 이게 올해 평가에 반영되지 않을까? 하는 고민을 하신다면, 평가 기간 외의 성과에 대해서는 해당 평가에 반영되지 않도록 공정한 평가 시스템의 구축을 주장하셔야 합니다.

마지막 세 번째는 적극적인 지원이 있었다는 겁니다. 대기업의 전폭적인 지원은, 우리 선수들이 지속적으로 세계 최고의 양궁 선수로 성장할 수 있는 환경을 조성하였습니다. 그리고 그렇게 최고의 성과를 이끌어내는 거죠. 개별 기업도 마찬가지입니다. 회사는 모집과 선발 과정을 거쳐 우수한 인재라고 판단하고 채용을 진행합니다. 따라서 채용되는 순간, 입사자들은 이 회사에 필요한 인재입니다. 그러면 회사는 성과 창출을 위해서 그 인재가 충분히, 보유하고 있는 역량을 발휘할 수 있도록 지원하는 것은 당연합니다. 여러 방면에서 지원을 하는데, 여기서 문제는 '자원'이라고 하는 것은 한정적이거든요. 우리가 가진 자원이 무한하면 크게 상관이 없겠지만, 우리가 가지고 있는 자원은 무엇이든지 다 한정되어 있습니다. 중요한 것은 한정된 자원을 가지고 어떻게 해서든지 구성원들이 가지고 있는 역량을 최대한 잘 펼칠 수 있도록 지원을 해주고 있다는 사실입니다.

위의 세 가지 원칙만 제대로 준수한다면 우수한 인재는 계속 몰릴 수밖에 없습니다. 노동 시장에서 이 세 가지를 갖추고 있는 기업은 우수한 인재의 블랙홀이 될 수 있습니다. 그렇게 유입된 우수한 인재들이 보여주는 성과는 지속적으로 계속 좋아질 수밖에 없습니다. 게다가 그들은 그 성과에 대한 자부심도 굉장히 큽니다. 내가 우수한 인재들이 모여 있는 이곳에서 이러한 성과를 냈고, 때문에 나는 스스로 대단한 생각이 들고, 내가 소속되어 있는 이 조직에도 굉장한 자부심을 느끼게 되는 겁니다.

이런 선순환을 구축하는 시스템을, 물론 양궁 협회 같은 경우에도 1~2년 사이에 만든 건 아닙니다. 오랜 기간 동안 경험과 노하우가 축적되어서 이런 완벽에 가까운 시스템을 만들 수 있었습니다. 저는 앞으로도 한국 양궁은, 이 시스템만 제대로 잘 굴러간다면 세계에서 지속적으로 우수한 성적을 거둬들일 수 있다는 생각입니다. 우리 회사가 금메달리스트들이 모이는 곳이 되기 위해서, 우리 회사에서 금메달리스트를 배출하기 위해서, 그리고 내가 우리 회사의 금메달리스트가 되고자 한다면 어떠한 것을 해야 할까? 한번 고민해 볼 필요가 있을 것 같습니다.

자원기반이론으로 살펴본 인적자원 쟁탈전

전기차 배터리 싸움의 시작

　지난 2021년 4월, LG와 SK가 극적인 합의를 이루며 그간의 전기차 배터리 싸움을 종결하였습니다. SK가 LG에게 합의금 조로 2조 원을 지급하기로 하였고, 현재까지 진행된 모든 법정 다툼을 없던 것으로 하는 동시에 향후 10년간 이와 유사한 일로 다시는 법정에서 마주치지 말자고도 했습니다. 그런데 이들은 왜 이렇게 치열하게 싸운 걸까요?

　지난 2017년에서 2019년 사이, LG의 약 100여 명의 임직원이 SK로 이직을 합니다. 이에 LG 측은 전기차 배터리 후발주자인 SK가 자사의 핵심인력들을 노골적으로 빼갔다고 주장하는데요, 이는 LG가 보유한 배터리 기술의 핵심 노하우를 고스란히 가져간 것이므로 '영업비밀침해'에 해당한다며 미국 ITC(미국 국제 무역 위원회)에 소송을 제기합니다. 물론 SK는 이를 부인하겠죠? SK에서는 정상적으로 경력사원 채용을 진행한 것이며, 그중 LG 출신의 임직원들은 '자발적으로' 옮겨온 것이라고 주장합니다. 이후 SK와 LG는 국내·외에서 맞고소를 진행하며 서로 뜯고 뜯기는 법정 싸움을 시작하게 된 것입니다. 그리고 ITC의 판결은 SK가 LG의 영업비밀을 침해한 것이 맞다고 인정합니다.

그런데 여기서 우리가 생각해봐야 하는 사안은요, 아니 SK에서는 LG 출신 임직원이 아니면 배터리를 못 만드느냐는 겁니다. SK가 굳이 이렇게 막대한 법정 소송에 대한 부담을 가지면서까지 LG의 임직원을 빼 와야 했냐는 거죠. 이에 대해 전문가들은 이렇게도 말합니다. 전기차 배터리 기술이 아주 어려워서 자사 인력으로 이를 못 만드는 것이 아니라, SK와 LG의 기술 격차는 설계 기술이 아니라 제조 기술에 관한 것이기 때문에 제조 기술을 익히려면 시간이 다소 걸릴 테니, 시간을 단축하고자 기술적 노하우를 축적한 인력이 필요한 것이라고요. 이러한 인력유출 사건은 LG-SK에만 해당하는 것이 아니라 고질적인 기업분쟁의 원인이기도 합니다. 그래서 이를 자원기반이론(resource-based theory)에서 살펴보도록 하겠습니다.

자원기반이론이란 조직의 성과는 경쟁자들이 쉽게 접근할 수 있는 외부 요인들이 아니라, 조직 내부에 특정 자원을 보유하거나 새로운 자원을 창출하는 역량을 통해 달성할 수 있다고 보는 입장입니다. 즉 기업의 경쟁우위를 창출하는 요소는 기업 내부 자원에 있기에, 조직이 보유하고 있는 자원의 가치 혹은 이러한 자원을 배치하거나 획득함으로써 경쟁우위를 확보할 수 있습니다. 그렇다면 조직 내부의 어떠한 자원이 이러한 경쟁우위를 달성할 수 있게 할까요?

경쟁우위를 창출하는 자원이 되기 위해서는 다음의 조건을 충족시켜야 합니다. 첫째, 조직에 긍정적인 가치를 부가하여야 하고 (valuable), 둘째, 현재나 미래의 잠재적인 경쟁자들이 갖지 못할 정도로 독특하거나 희소해야 하며(rare), 셋째, 쉽게 모방할 수 없으며(inimitable), 넷째, 경쟁자들이 확보하고 있는 다른 자원으로 거래나 대체가 불가능하여야(nontradable / nonsubstitutable) 합니다.

위 네 가지 속성의 앞 글자를 따서 소위 VRIN의 속성을 지녀야 자원이 경쟁력을 가질 수 있다고 판단할 수 있는데요, 조직의 내부 자원 중에 이러한 VRIN적 성격에 가장 잘 부합하는 자원이 바로 '인적자원'입니다.

게다가 인적자원은 인과관계의 모호성(causal ambiguity: 어느 요인이 경쟁우위 창출의 원인이 되는지 파악하기 어려움), 사회적 복잡성(social complexity: 복제가 어려운 특유의 사회적 관계에 의해 발생하는 현상), 그리고 독특한 역사적 조건(unique historical conditions: 기업마다 고유의 내부 문화, 정책 등) 등으로 인해 다른 자원들에 비해 더욱 모방하기가 쉽지 않습니다.

따라서 SK가 그러한 것처럼, 많은 기업들이 보다 빠르고 안정적인 성과를 창출하기 위해 인적자원 중에서도 VRIN에 해당하는 인력들을 확보하는 데 혈안이 되는 거죠.

우리 기업이 경쟁력을 갖추기 위해서는 SK처럼 VRIN에 근거한 인력들을 찾아 채용하면 됩니다. 반면, LG의 입장에서 VRIN적 인적자원을 지속적으로 유지하기 위해서는 어떠한 전략을 펼쳐야 할까요? 우수한 능력을 갖춘 인재는 드물 수밖에 없습니다. 그런데 이들은 더 좋은 회사를 찾아서 언제든지 떠날 수 있습니다. 따라서 이들에게는 적합한 보상과 유인책이 필요합니다. 그들이 필요로 하는 것을 제대로, 적극적으로 지원하기 위해 경영진과의 소통을 증대하여야 합니다. 또한 회사가 추구하는 비전/방향을 상시 공유하여 기업의 혁신성과 창의성 그리고 핵심인재의 기여에 대한 감사를 강조합니다. 자율성을 중시하고 조직의 관료화를 경계하며, 성과에 대해서는 확실한 보상과 꾸준한 성장의 기회를 제공하는 것이 중요합니다.

우리 조직의 인적자원은 얼마나 VRIN 한가요? 우리 조직에 필요한 VRIN적 인재는 어떻게 확보할 수 있을까요? 나는 얼마나 VRIN한 인력인가요? 이렇게 자원기반이론은 기업의 지속성장을 위한 근본적 물음을 제공합니다.

회사와 구성원 사이 밀당의 한 수, '스톡 그랜트'

핵심 직무의 인재 확보를 위한 주식 보상 프로그램의 고도화 전략

얼마 전, 판교에 위치한 국내 최대의 한 IT기업에서 무려 6,500 여 명에 달하는 전 직원을 대상으로 자사주 12주씩을 지급하여 큰 화제가 되었습니다. 총액은 약 300억 원 규모로, 각 개인에게는 500만 원 상당의 주식이 무상으로 제공된 것인데요, 앞으로 6개월 간격으로 5회 더, 같은 금액의 자사주가 추가로 지급될 예정이라고 합니다. 이런 파격적인 행보는 도대체 왜 일어난 걸까요?

경영환경이 급변하면서 직무의 상대적 가치에 따른 임금의 차등 지급은 기업의 경쟁력 강화를 위해 반드시 필요한 조치가 되었습니다. 개인의 연공서열 등 속인주의적 개념에 따른 연공급제가 과거에는 빠른 경제 성장의 원동력이 될 수 있었지만, 현재 저성장 장기불황 시류에 접어들어서는 생산성과 효율성을 저하시키는 요인으로 전락되었기 때문이죠. 따라서 가장 객관적이고 합리적인 속성인 '직무'를 중심으로 하는 속직주의 개념의 '직무급제'로 전환하는 것이 현재와 미래의 경쟁력을 확보할 수 있다고 보는 것입니다.

직무급제로의 전환 현상은 4차 산업혁명의 흐름을 타고 급성장하

고 있는 IT업계에서 보다 쉽고 빠르게 파악할 수 있습니다. 연일 개발자들의 연봉이 치솟고, 각 기업에서 '개발자 모시기가 하늘의 별 따기'라는 아우성이 바로 IT업계에서 '개발'의 상대적 직무 가치를 증빙하고 있는 것입니다. 게다가 산업의 빠른 성장 속도에 비하여 개발 직무 수행 인력의 공급이 원활하지 않으니, IT업계에서는 외부 인재를 적극 유인하는 동시에 내부 인재의 이탈을 막는 유지 전략을 마련해야 했고, 그중 하나가 앞서 소개한 3년 동안 3,000만 원 상당의 자사주 지급이라는 주식 보상 프로그램입니다. 다만, 특정 직군만이 아닌 전 직원을 대상으로 한 것은 내부 갈등의 최소화 방안으로 생각됩니다.

이러한 방식을 '스톡 그랜트(stock grant)'라고 일컫는데요, 회사는 구성원에게 자사의 주식을 무상으로 제공하고, 구성원은 이를 의무적으로 보유해야 하는 기간이 없다는 것이 특징입니다. 즉, 주식을 받은 즉시 매도하여 현금화가 가능하다는 것이죠.

해당 기업은 스톡 그랜트 외에 '스톡 옵션(stock option, 주식매수선택권)'과 '주식 매입 리워드 프로그램'도 활용하고 있습니다. 스톡 옵션은 직원이 일정 기간 이상 근무한 후에 회사에서 자사주를 지급하고, 직원은 이를 일정 기간 이상 보유한 후에야 처분할 수 있도록 하는 제도입니다. 그러다 보니 구성원 입장에서는 재직 기간에 대한 제약과 미래 수익에 대한 불확실성에 대해 불만을 표출하기도 합니다. 주식 매입 리워드 프로그램은 자사 주식을 매입하는 구성원들에게 매입 금액의 일정 부분을 일정 한도 내에서 현금으로 지원해 주는 제도입니다. 일종의 직원 우대 할인인 셈이죠.

위의 방법들을 통칭하여 '종업원지주제도(Employee Stock Ownership Plan)'라고 합니다. 기업이 구성원에게 평생 고용을 보장하기가 어렵고, 구성원은 이직을 통한 경력개발 욕구가 있어 현재 소속된 조직에 대한 애착이 점차 감소함에 따라, 이를 해결하기 위한 방안으로 1970년대 초 미국에서 도입된 제도인데요, 즉, 구성원에게 회사의 주식을 소유하게 함으로써 주인의식 함양과 소속감 고취를 의도하는 전략입니다.

그러나 제대로 된 보상의 효과를 거두려면, 기업은 원하는 목적을 달성할 수 있어야 하고, 구성원들은 보상 자체가 그들이 원하는 것이어야 합니다. 이를 자칫 잘못하면 보상 프로그램을 시행하고도 잃는 것이 많을 수도 있습니다. 이번 스톡 그랜트 지급의 경우, 일부 구성원들은 일괄 연봉 인상을 요구하였습니다. 스톡 그랜트를 통해 받은 주식이 바로 현금화가 가능하더라도 굳이 주식으로 받을 필요가 있느냐는 것이죠. 반면 기업은 구성원들이 주주로서 개인과 회사가 함께 성장할 수 있는 동인을 설계함과 동시에, 그동안의 스톡 옵션에 대한 부작용을 줄이면서, 인건비 상승에 따른 여러 부담은 덜어내고자 하는 전략으로 추진하였습니다.

직무의 가치가 반영되어 보상의 수준이 높아지는 것은 매우 바람직한 일이지만, 경쟁적인 환경 하에서 보상이 공정성과 객관성을 잃게 되면 큰 부작용을 낳을 수도 있습니다. 핵심 인재를 유인 및 유지하기 위한 직원 보상 프로그램은 더욱 다양화되고 고도화될 필요가 있겠습니다.

어쩌다 재택근무
'일'과 '노동'에 대한 관점의 변화가 필요한 때

팬데믹으로 인해 우리는 준비되지 않은 재택근무를 맞이하게 되었습니다. 어쩌다 시행한 재택근무, 제대로 시행하려면 무엇이 필요할까요?

모든 임직원은 업무시간에 반드시 딴짓을 합니다. 일단 이렇게 기본 전제를 두고 가도록 하죠. 업무 장소가 직장이든 집이든 그 어디에서든, 딴짓을 막을 방법은 절대 없어요. 그런데 대부분의 기업들은 재택근무 초기 단계에서 새로운 관리규정을 만드는 것부터 진행합니다. 그래서 매니저급에서는 업무지침이 늘어나게 되는데요, 사실 조금은 불필요한 커뮤니케이션이 등장합니다. 예를 들면 '출근합니다', '퇴근합니다', '회의 중입니다' 등등의 보고와 확인 말이죠. 그보다는 가시적인 워크플로(work flow)를 설계하는 데에 중점을 두어야겠습니다. 재택근무는 일의 방식이 변하는 것이 아니라 일에 대한 관점과 태도의 변화이기 때문이지요.

업무에 대한 기본적인 책임과 자율에 중점을 두되, 자신이 하고 있는 일을 잘 드러내는 것이 중요합니다. 다양한 온라인 협업 툴이 많이 등장하고 있잖아요. '칸반'이나 '갠트차트' 같은 도구들을 활용해서 모든 사내 정보를 공개적으로 진행하고요, 긍정적인 피드백을 자주 전달해주세요. 단, DM(direct massage) - 개인 간 의사소통은 지양합니다. 구성원들 사이에서 소외현상이 나타날 수 있거든요. 그리고 '소음'과 '정보'를 구분하기 위해서 사용하는 온라인 협업 툴들의 사용 용도를 구분 지어 활용하면 좋습니다. 이렇게 진행하면 조직 내 정보에 대한 투명성이 보장되며, 자연스럽게 성과 중심의 인사제도를 정착시킬 수 있게 됩니다. 전통적인 근태관리는 이제 잊어주시고, 공개적인 온라인 협업 툴을 이용하여 효율적인 업무 관리를 진행하도록 합니다.

한편, 일과 생활 간에 시공간의 경계가 허물어지니 제일 먼저 당황스러운 문제가 등장하는 부분은 바로 워라밸 측면입니다. 각자 일하는 업무시간 및 장소의 기준이 모호해지면서 심한 경우 일만 하고 잠드는 워워잠(work & work & sleep)이 되기도, 혹은 전혀 업무에 집중하지 못하는 월급 루팡이 되기도 하는데요, 재택근무의 스트레스를 줄이기 위해서는 일단 나 자신과 우리 가족에 우선순위를 둡니다. 그리고 스스로 개인의 라이프 스타일과 업무수행 방식을 고민하여 내 삶에 맞는 나만의 워라밸을 모색합니다.

업무 시간과 공간이 생활에서 분리되도록 고려하는 것이 여러모로 유용합니다. 그렇게 업무-생활 계획표를 작성하고, 가족 구성원들과 공유합니다. 아이가 있는 경우 대부분 육아로 인한 스트레스를 받는데요, 육아에 대한 책임을 전적으로 지려 하지 말고 베이비시터를 고용하는 것도 하나의 권장 사항입니다. 워라밸을 잘 활용하면 1인당 휴가 사용일 수도 줄어든다는 사실 꼭 기억하고, 소중한 시간, 휴식도 적절히 잘 사용하도록 합니다. 워라밸은 회사가 만들어 주는 것이 아니라 개인이 만들어가는 겁니다.

재택근무의 특성은 '비대면'과 '비동기'입니다. 이 때문에 재택근무 초기 단계에서 구성원들이 여러 불편함을 호소할 수 있습니다. 그러나 '비대면'과 '비동기'의 불편함은 곧 편함이 됩니다.

재택근무는 구성원 간 비대면 커뮤니케이션을 진행해야 하다 보니 비대면이 익숙하지 않은 구성원들 사이에서 의도치 않은 혼선이 야기될 수 있는데요, 이를 미연에 방지하기 위해서는 조직 내 목표를 명확히 설정하여 공유하는 것이 중요합니다. 또한 대면미팅을 실시하게 되는 경우, 각종 커뮤니케이션을 대면미팅에서 처리하려고 미루는 상황이 발생할 수 있는데요, 이때는 리더가 개입하여 비대면 및 대면 미팅의 장점을 최대한 활용할 수 있도록 적절히 조절하도록 합니다.

그리고 구성원들이 모두가 같은 시공간에서 업무를 진행하지 않는 비동기로 인해 커뮤니케이션의 효율성이 떨어진다고도 하는데요, 각자의 상황에 따라 같은 시간 동시 처리가 어려울 수는 있지만, 서로가 마감 일자는 반드시 지킬 수 있도록 하여 실무자를 신뢰하고 존중하도록 합니다.

비대면과 비동기는 조직 내 다양한 정치적 관계에서 벗어나 불필요한 감정 소비를 줄이고 일 중심의 협업과 성과 그리고 평가를 진행할 수 있습니다.

재택근무의 의도치 않은 효과를 하나 꼽아보자면, 재택근무는 모든 구성원들이 대표가 하던 고민을 하게 합니다. 모든 구성원들이 스스로 자신의 일에 대한 고민을 많이 하게 된다는 것입니다. 업무를 진행함에 있어 최대한의 자율이 주어지다 보니, 그동안 리더들이 해왔던 관리에 대해서도 스스로 책임을 져야 하기 때문이죠. 그래서 구성원들의 조직시민행동(Organizational Citizenship Behavior)이 향상됩니다. 조직시민행동이란 구성원 스스로가 공식적으로 주어진 업무나 보상과는 무관하게 다른 구성원 혹은 조직을 위해 행하는 자발적인 행동을 일컫는 말인데요, 건강한 조직문화를 구축하는 데에 있어 매우 중요한 요인이죠. 구성원들이 조직의 원활한 운영을 위한 대표의 고민을 간접 체험하고 이를 문제 삼아 조직의 지속발전을 위해 스스로 노력을 하게 되다니 이는 재택근무의 가장 큰 수확이 아닐 수 없습니다.

그럼, 재택근무의 성공 요건을 정리해볼까요?

첫째, 자율성은 최대한 보장하고, 기본적인 책임과 의무는 반드시 준수합니다.

둘째, 업무의 공간과 환경은 스스로 조성합니다.

셋째, 서로에 대한 신뢰를 기반으로 적극적으로 소통합니다.

누구도 예상치 못했던 팬데믹으로 인해 갑작스레 시작된 재택근무가 이제는 일상의 선택으로 자리 잡고 있습니다. 일과 노동을 바라보는 관점을 변화시켜, 효율적인 재택근무의 성과로 이어지길 바랍니다.

재택근무를 하면 임금을 삭감하겠다고요?
뉴노멀 시대, 새로운 임금체계의 등장

안전을 위해 시작된 재택근무가 엔데믹 이후에도 지속되고 있습니다. 따라서 기업들은 재택근무로 인한 불필요한 비용을 절감하려 노력하는데요, 예를 들어 사무실의 공간을 축소하여 임대료를 덜 내든지, 더 받든지 하는 거죠. 실제 IBM의 경우, 사무실 비용에서 5천만 달러를 절감했다고 합니다.

그런데 구글에서는 '전면 재택근무 시행'을 멈추겠다고 밝혔습니다. 대신 '6-2-2' 시스템을 도입한다는데요, '6-2-2' 시스템은 전체 직원의 60%는 사무실에서, 20%는 집에서, 나머지 20%는 다른 사무실에서 일하는 방식입니다. 직원들의 생산성을 최대치로 끌어올릴 수 있도록 구성원 각자에게 가장 적합한 업무 환경을 선택해서 일하게끔 '하이브리드 근무' 체제를 채택한 것이죠. 그러면서 재택근무를 선택한 임직원에게는 새로운 임금체계를 제안했습니다. 거주하는 지역에 따라 생활비 수준에서 조금씩 차이가 날 수 있는데 이를 임금에 반영하겠다는 겁니다. 사무실이 위치한 도시에서 벗어나 외곽에 거주 중이라면, 생활비 지출분이 다소 줄어들 테니 그만큼을 임금에서 삭감하겠다고요. 그리고 출퇴근 비용 또한 보전되니

이 또한 삭감하고요. 삭감분은 연봉의 최대 25%까지이고요, 계산해 보니 평균적으로 연봉의 10% 이상은 되는 것 같습니다. 지금 재택 근무 중인 여러분들한테도 회사가 이러한 제안을 한다면, 여러분들은 어떻게 하시겠어요?

우리는 그동안 지극히 '출퇴근 근무자'의 중심에서 생각을 해왔습니다. 그래서 재택근무를 시행해야만 하는 상황에 마주하게 되니까, 그 장점과 혜택보다는 우려되는 사안들이 많았단 말이에요. '직원들이 눈앞에 보이지 않는데 과연 성과가 나올 수 있을까?!' 그런데 실제 재택근무를 시행해보니, 결과 중심의 평가로 개선되면서 평가 체계는 더욱 공정해졌고, 이 때문에 임직원들은 업무 투입에 있어 더욱 효율성을 중시하게 되었습니다. 따라서 생산성은 오히려 재택 근무 이전보다 더 향상되었죠. 유수의 경영 컨설팅업체에서 실시한 설문 결과가 이를 증빙합니다. PwC와 Mercer의 설문 결과에 따르면 각각 경영진의 83%, 94%가 재택근무는 성공적이었으며, 생산성은 유지 또는 향상되었다고 답변하였습니다. 또한 글로벌 기업의 경우에는 장소/위치에 구애받지 않고 우수한 인재를 유입할 수 있어, 더욱 성과를 기대할 수 있게 되었고요.

2020년 기준, 대한민국의 직장인들이 출퇴근에 소요되는 시간은 평균 58분입니다. 여기에 시간당 평균 임금 19,316원을 곱하고, 월 평균 근로일 수 19.7일, 그리고 12개월을 곱하면 출퇴근으로 인한 비용 손실은 평균적으로 약 연 440만 원 정도로 추산할 수 있는데요, 재택근무를 계속하겠다면, 연봉에서 440만 원을 삭감해도 괜찮겠습니까?

출퇴근에 대한 부담과 연봉의 가치를 비교하여 우위를 가려내는 것은 여러분의 몫입니다만, 이런 재택근무자에 대한 새로운 임금산정체계는 비단 구글뿐만 아니라 실리콘밸리의 빅테크 기업들을 중심으로 이미 시행 중에 있습니다. 물론 좀 더 시간을 두고 봐야 새로운 임금체계의 장단점이 가려지겠지만, 머지않아 뉴노멀의 기준이 될 수도 있다는 것이죠.

분명한 것은 이제 전통적인 출퇴근 근무자 중심의 사고에서는 벗어나야 하고요, 임금체계는 더욱 합리적으로 공정하게 변화할 것이라는 사실입니다.

우리 회사의 '핵심인재'는 무슨 생각을 하고 있을까?

핵심인재를 유지하는 방법

안녕히 계세요 여러분~~~!
저는 이 세상의 모든 굴레와 속박을 벗어던지고
제 행복을 찾아 떠납니다~~~!

퇴사.gif

요즘 유행하는 퇴사'짤'의 문구입니다. 행복을 찾아 '퇴사를 한다'는 건, 축하받을 일이랍니다. 평생직장의 개념이 붕괴하면서 미래보다는 지금 당장의 시점이 더 중요해진 직장인들에게 정년까지 한 직장에서 일한다는 건 그렇게 기뻐할 일이 아닙니다. 급기야 일부에서는 한 직장에 오래 머무르는 것이 무능력의 지표라고까지 여긴다는데요, 이를 반영하듯 최근 한 리서치 기관의 보고에 따르면, '향후 2년 내에 현재의 직장을 떠날 것이다'라는 직장인들의 응답이 무려 50% 이상을 차지했다고 합니다. 물론 이직 '의도'는 실제 이직 '행동'으로 반드시 이어지지는 않지만, 과거에 비해 굉장히 높아진 수치인 것은 분명하죠. 극심한 취업난을 뚫고 모두의 축하받으며 입사했건만, 어쩌다 퇴사마저 축하의 대상이 되었을까요?

직장인들에게 '최고의 회사'는 어떤 곳일까 생각해봤습니다. 일단, 포스트 코로나 시대에 접어들면서 과거 조직의 경쟁력이라 할 수 있었던 회사의 '규모'와 '안정성'은 최고의 회사 조건에서 '광탈'입니다. 회사의 미래가 불투명하니 더 이상 회사의 경쟁력을 믿기 어렵게 되었고, 따라서 회사의 경쟁력이 아닌 스스로 갈고닦아야 하는 개인(나)의 경쟁력이 중요해졌으며, 이로써 나의 경쟁력을 잘 펼칠 수 있는 조직이어야 될 것 같습니다. 그러려면 개인에게 최대한의 자율성이 보장되어야 할 것이고 또 그만큼 책임도 부과될 것이고요. 그리고 혼자서는 모든 것을 할 수 없으니 합이 잘 맞는 동료들이 있어야 할 것입니다.

이를 정리하자면 다음과 같이 나열해볼 수 있을 것 같습니다.

첫째, 최고의 회사는 나의 성장과 발전에 도움이 되는 곳이어야 한다.
둘째, 최고의 회사는 내가 온전히 일에 몰입할 수 있는 곳이어야 한다.
셋째, 최고의 회사는 함께 일하고 싶은 좋은 동료들이 있는 곳이어야 한다.

이직은 개인이 선택이지만, 회사의 입장에서는 매우 큰 손실이 아닐 수 없습니다. 특히 이직하는 임직원이 그 회사의 핵심인재라면 더욱 그러하겠죠. 그런데 핵심인재는 최고의 회사가 갖춰야 할 위의 세 가지 조건에 만족하지 못할 경우 제일 먼저 이탈합니다. 많은 기업에서 핵심인재를 유지하고 확보하기 위해 금전적 보상을 많이 활용하는데요, 핵심인재는 이러한 보상의 성격에 대해 잘 알고 있죠. 금전적 보상은 오랜 기간 누릴 수 있는 호사가 아니라는 것을요. 누구에게나 전성기라는 것이 있지만, 그렇다고 누구에게나 제2, 제3의 전성기가 존재하는 것은 아니니까요.

조직이 핵심인재를 붙잡기 위해서 제일 먼저 확인할 사항은 얼마나 탄탄한 신뢰를 형성하고 있는가입니다. 회사와 구성원 간에, 그리고 구성원들 간에 서로의 성장을 위해 본질에 집중할 수 있는 신뢰관계가 필요합니다. 이는 조직문화와 일하는 방식에서 살펴볼 수 있는데요, 즉, 성장의 기회를 많이 마련해주고 있는지, 성공했을 때는 진정한 인정과 존중을 표현하는지, 실패했을 경우에는 질책이 아닌 문제 해결방안을 모색하는지 등으로 파악할 수 있습니다. 핵심인재에게 가족 같은 회사는 부담스럽지만, 신뢰할 수 있는 인간관계는 환영하거든요.

지금보다 더 나은 조직을 원하시나요? 그렇다면 핵심인재에게 높은 연봉을 제시하는 것보다 "신뢰"를 보여주세요. 그러면 핵심인재는 또 다른 핵심인재를 유인합니다. 이것이 바로 핵심인재를 유지하고 활용하는 비법입니다.

여성 리더의 핵심 역량, '자기주도성'과 '효능감'

여성 리더의 성장을 위한 필수 역량

    지난 2020년 2월, 자산 총액 2조 원 이상의 주권상장법인은 이사회의 이사(등기임원)를 특정 성(性)으로만 구성할 수 없도록, 「자본시장과 금융투자업에 관한 법률(자본시장법)」이 개정되었습니다. 법 개정의 핵심은 기업 내 의사결정 구조의 성별 다양성을 제고하여, 유연하고 균형적인 의사결정을 도모하고 기업의 경쟁력과 지속가능성을 높이고자 함인데요, ILO(International Labour Office: 국제노동기구)는 지난 2019년 보고서를 통해 기업이 이사회 내 성 다양성을 통한 경제적 성과를 얻기 위해서는 하며, 여성 임원 비율이 30~39% 수준이라면 18.5%의 추가적인 수익을 낼 수 있고, 만약 이사회 내에서 완전한 성 평등과 균형이 실현된다면 20% 이상의 추가적인 수익을 확보할 수 있다고 주장한 바 있습니다.

    최근 세계적인 화두인 ESG(Environment, Social, Governance: 환경, 사회, 지배구조) 투자와 관련해서도 여성 이사의 확대를 포함한 이사회의 젠더(gender) 다양성 확보 이슈는 뜨겁습니다. 블랙록(Black Rock)이나 스테이트 스트리트 글로벌 어드바이저(State Street Global Advisors: SSAG)와 같은 해외 대형 자산운용사들은

2017년부터 이사회의 다양성 정책을 도입하였고, 이를 기준으로 투자 등의 핵심 안건에 대한 의사결정을 진행하고 있습니다.

그러나 여성가족부에서 배포한 국내 상장법인의 여성 임원 실태(상장법인 성별임원현황 조사결과)를 살펴보면, 2021년 1분기 현재 자본시장법 개정안이 적용되는 기업의 여성 사외이사 선임만 눈에 띄게 증가했을 뿐, 조사 대상 상장법인 2,246개 사의 여성 임원 수는 총 1,668명으로 남성 임원 수 30,337명과 비교하여 전체 5.2% 수준에 불과한 것으로 나타났습니다.

우리 사회는 그동안 여성의 사회 진출 및 지위 향상에 많은 발전을 이루어왔습니다. 특히 정부 주도의 양성 평등 실현을 위한 법과 제도의 개선은 점진적인 효과를 보이고 있습니다. 기업 조직 내에서도 과장급 이상의 여성 관리자 비율이 증가하고 있는 것으로 밝혀지긴 하였지만, 현저히 낮은 여성 임원의 수치와 비율은 분명 문제가 있습니다.

여러 연구에서 여성 관리자의 임원 진출을 방해하는 요인과 관련하여 사회적·문화적 영향과 기업의 인적자원관리 관행 등 다양한 원인을 제시하고 있습니다만, 이러한 외부적인 방해 요인을 약화시키기 위해서는 꾸준한 법·제도의 개선을 통한 점진적인 환경변화에 의존해야 합니다. 그렇다면 여성 리더를 효과적으로 성장시킬 수 있는 여성 개인의 내적 요인은 없을까요? 이를 찾아내 적극적으로 계발 혹은 지원한다면 상황은 보다 빠르게 개선되지 않을까요? 여성 리더에게 필요한 내적 요인은 무엇이 있을까요?

여성 리더의 양질의 성장을 위해서 반드시 필요한 핵심 역량으로 '자기주도성'과 '효능감'에 집중하고자 합니다. 두 요인 모두 스스로에 대한 의지 혹은 기대를 의미하는 것이기 때문에, 여성 리더의 지속적이고 성공적인 조직 생활을 위한 필수 조건으로 고려될 수 있습니다.

먼저, '자기주도성'을 살펴보겠습니다. 급변하는 사회에 적응하기 위해 조직의 구성원들에게 업무 관련 학습(work-related learning)은 그 어느 때보다 중요해졌습니다. 개인의 업무 관련 학습은 조직의 경쟁력과 개인의 지속적인 고용 가능성을 제고하는 등 조직과 개인 모두에게 긍정적인 영향을 미치는 것으로 밝혀졌는데요, 그러나 평생직장의 개념이 붕괴하면서 개인의 경력개발은 조직에 의존하는 것보다 개인의 책임 하에 스스로 발전시켜 나가는 방향으로 강조되고 있습니다. 따라서 개인의 경력개발을 위해서 자기주도성은 필수입니다. 자기주도성이란 스스로 책임지고자 하는 의지나 노력의 정도를 말합니다. 특히 조직 내 수적 열위에 있는 여성 리더에게 자기주도적인 학습을 통한 경력개발은 성공적인 조직생활을 위해 더욱 필요한 것이죠.

한편, '효능감(efficacy)'이란 기대 상황에서 요구되는 특정 행동을 스스로 얼마나 잘 수행할 수 있는가에 대한 판단을 의미하는데요, 효능감은 바로 행동으로 이어지는 특징을 갖고 있습니다. 즉, 효능감은 행동 예측성이 매우 높기 때문에, 여성 리더가 높은 리더십 효능감을 갖고 있다면, 우수한 리더십 행동으로 이어지며, 결과적으로 리더십 효과성을 기대할 수 있다는 것입니다. 그렇다면 효능감은 어떻게 높일 수 있느냐? 효능감은 교육 등의 개발 활동을 통해 고취시킬 수 있으며, 높아진 효능감은 다시 관련 학습에 긍정적으로 임하게 하는 효과를 보입니다.

따라서 어떠한 교육이든 스스로 업무 관련 학습을 진행한 경험이 있는, 즉 자기주도 경력개발을 진행한 여성 리더는 높은 리더십 효능감을 보일 수 있고, 이들의 관계는 선순환 효과를 보이며 강화될 수 있음을 예측할 수 있습니다.

여성 리더의 지속적인 조직생활을 위해서, 여성 리더들은 스스로 지속적인 다양한 학습을 통해 리더십 역량 개발을 위해 힘써야 할 것입니다. 물론 조직과 사회는 더 많은 여성 관리자들이 자기주도 경력개발에 참여할 수 있도록 지원하는 제도적 개선에 노력해야 할 것이고요. 머지않아 여성 임원의 수적 열세와 여성 관리자의 유리 천장 극복하고, 여성 리더의 훌륭한 리더십을 효과적으로 발휘할 수 있는 온전한 양성 평등의 조직을 기대해봅니다.

N잡러에게 업무 총량의 법칙이란?
걱정 말아요, 사장님! 성과가 더 좋아졌거든요

'OO 총량의 법칙', 많이 들어보셨을 겁니다. 존재하는 모든 것에는 전체의 수량이나 무게가 모두에게 동일한 값으로 한정되어 있다는 의미인데요, 각자의 인생살이에 가끔 위로가 되어주는 말로 많이 쓰이고 있습니다. '행복 총량의 법칙', '불행 총량의 법칙'과 같이 모두에게 주어진 자원은 이미 공평하게 배분되었기 때문에 힘들 때 너무 좌절하지 말라는 의미로 말이죠.

실제 몇 연구에서는 이를 증명해 보이기도 했습니다. 학생들을 대상으로 한 '쿠키-수학 실험'이 대표적인 예인데요, 갓 구운 초콜릿 쿠키를 앞에 놔두고, 한 집단에게는 (맛있는) 쿠키가 아닌 (맛없는) 무를 먹으라 하고, 다른 한 집단에게는 그 쿠키를 아무런 조건 없이 그냥 먹으라 합니다. 그리고 곧이어 두 집단 모두에게 어려운 수학 문제를 풀어보라고 했습니다. 어느 집단의 성적이 더 좋았을까요? 결과는 쿠키를 마음 놓고 먹은 집단의 성적이 더 좋았습니다. 그 이유로 연구자들은 '집중력 총량의 법칙'이 적용되었기 때문이라고 설명합니다. 맛있어 보이는 쿠키를 눈앞에 두고 쿠키가 아닌 무에 집중해야 했던 집단은, 집중력을 거의 사용하지 않고 그저 쿠키를 맛있게 먹은 집단에 비해 이미 어느 정도의 집중력을 소모했으므로 어려운 수학 문제를 푸는 데에 사용할 수 있는 집중력이 감소되었다는 논리입니다. 참고로 Muraven, Tice, and Baumeister (1998)의 연구("Self-control as a Limited Resource")에서는 '자기 통제력의 고갈'이라고 설명하고 있습니다.

그리고 이러한 논리는 우리 조직에도 그대로 적용되고 있습니다. 일반 사기업의 경우, 보통 취업규칙이나 근로계약 상에 '겸업금지' 조항을 두고 있습니다. 즉, 근로자는 일을 해서 사용자로부터 임금(채권)을 받으므로, 근로계약 기간동안 성실하고 충실하게 근무할 성실·충실의무(채무)가 있기 때문에, 회사의 승인 없이는 본업 외 다른 업무를 해서는 안 된다는 의무조항입니다. 본업 외의 일을 하게 되면 구성원들이 보유하고 있는 한정된 자원은 분산될 것이며 이로써 본업에 집중할 수 있는 에너지가 부족해져서 결국 본업에서의 능률을 떨어뜨릴 수 있다는 '총량의 법칙' 관점인 것이죠. 공무원은 더욱 엄격하게 「국가공무원 복무규정」(제25조)에서 법으로 겸업을 금지하고 있고요.

그러나 긱 경제(Gig economy)의 확산과 성장에 따라 N잡러가 부지기수인 이 시기에, 우리 구성원들만은 오로지 우리 회사를 위해 겸업을 해서는 안 된다고 제한하는 것은 과연 올바른 선택일까요? 이와 관련하여 저명 학술지 「Academy of Management Journal(경영학회지)」에 실린 흥미로운 연구 결과(Sessions, Nahrgang, Vaulont,

Williams & Bartels, 2021)가 있습니다. 한 회사에 정규직으로 재직 중이면서 본업 외 부업 활동을 하고 있는 직장인들을 대상으로 부업이 본업에 미치는 영향에 관해 연구하였는데, 부업을 통한 업무 경험이 오히려 본업의 업무 성과를 높이고 있는 것으로 나타났습니다. 물론 여기에도 총량의 법칙이 적용되어 집중력 분산으로 인한 성과 저하의 결과도 나타났지만, 중요한 것은 부업을 통해 오너십(ownership), 임파워먼트(impowerment), 자율성(autonomy) 등을 경험함으로써 몰입(engagement)과 감정(positive affect)에 긍정적인 효과를 나타낸 것에 비하면 집중력 분산의 문제는 무시할만한 수준이라는 것입니다. 따라서 결국 부업은 본업의 생산성 향상에 도움이 되므로, 연구의 제목과 같이 부업을 장려하는 것(do the hustle!)은 어쩌면 저성장 장기불황인 이 시대에 조직의 성과 향상을 위한 또 하나의 방안이 될 수도 있다는 입장입니다.

200만 명이 넘는 구독자를 보유한 한 인기 유튜버가 과거 잘 다니던 금융회사를 그만둔 이유로, 유튜브를 시작한 후 회사 내에서 양자택일의 압박이 있었다고 고백하였습니다. 그러나 대한민국 헌법 제15조는 '모든 국민은 직업선택의 자유를 가진다.'고 명시하고 있습니다. 따라서 회사의 겸업금지 조항은 근무시간 내로 한정됩니다. 판례에서도 근로자의 겸직은 근로자의 개인 능력에 따라 사생활의 범주에 속하는 것이므로 기업질서나 노무제공에 지장이 없는 겸직까지 전면적, 포괄적으로 금지하는 것은 부당하다고 하였습니다(서울행법 2001구7465, 2001.07.24. 판정). 다만 구성원이 본업 외의 활동으로 본업에 소홀했다든가(근무태만 등), 기업의 중요한 정보를 활용했다든가(보안 침해 등), 기업에 유·무형의 손해를 끼친 경우라면, 겸업금지 위반에 앞서 근로계약 위반에 해당하여 법적 분쟁으로 이어질 수 있습니다. 때문에 N잡러이거나 N잡러이기를 원하는 조직의 구성원은 스스로 본업에 악영향을 주지 않는 범위 내에서 N잡을 고려해야 할 것이며, 회사는 구성원의 부업활동이 회사에 긍정적인 영향을 미치는 것을 염두하고서 겸업과 관련한 구체적인 사안들을 명시함으로써 상호 권리와 의무를 다할 수 있도록 인사내규의 재정비가 필요합니다.

언택트(untact) 기술의 빠른 확산과 플랫폼 경제의 눈부신 발전, 그리고 저출산 고령화로 인한 급격한 노동인구의 감소 등, 환경의 가파른 변화는 이미 MZ세대 5명 중 1명을 N잡러로 만들었습니다. 그리고 더 이상 장기 고용을 책임질 수 없는 회사는 이제 '총량의 법칙' 프레임에서 벗어나 이들을 적극적으로 활용할 수 있는 '탈(脫) 겸업금지' 전략을 세워야겠습니다.

일 잘하는 '척'하는 사람 vs. '찐' 일잘러
'척'을 '찐'으로 만드는 방법

주변에 일 잘하는 '척'하는 사람들, 은근히 많습니다. 사회초년생은 잘 모릅니다. 내 할 일 하기도 바쁘거든요. 그런데 연차가 쌓이면 다 보여요. 그래서 나중에는 다 알게 됩니다. '척'과 '찐'의 차이를요.

일 잘하는 척하는 사람들의 특징 중의 하나는 시간을 아주 잘 활용한다는 겁니다. 예를 들면요, 업무량과 꼭 비례하지 않는 야근과 주말 출근을 자주 하고요, 근무일을 휴무일로 대체하는 대체휴무를 야무지게 챙겨 씁니다. 게다가 부지런해요. 절대 늦게 출근하는 일이 없어요. 그리고 관계를 중요하게 생각합니다. 회사에서의 관계란, 소통, 신뢰, 유대감, 뭐 이렇게 연결되잖아요? 그래서 회사에서 일 잘하는 척하는 사람에게 무슨 일이 생기면요, 그 주변의 사람들이 아주 잘 도와줘요. 그런데 문제는 이런 특징을 가진 사람이 왜 일잘러가 아니고, 일 잘하는 척하는 사람이냐는 거죠.

같이 일하고 싶은 사람, 한번 떠올려볼까요? 일단 '일'이 되게끔 하면 좋겠고, '일'을 통해 함께 성장하면 좋을 것 같아요. 그런데

일 잘하는 척하는 사람들은 이렇게 '일'이 우선이 아니라, '보여지는' 게 우선이다 보니 '일'의 본질에서 멀어져서, 일의 계획, 의도, 목표, 결과가 흐릿해집니다. 그래서 일 잘하는 척하는 사람과 같이 일하다 보면, 조금 지쳐요. 일 잘하는 척하는 사람의 직급이 높다면, 조금 더 힘들 수 있고요.

물론 과거에, 스펙으로 경쟁하던 시기에는 현재의 희생으로 미래의 성공을 바라볼 수 있었으니 시간 투자로 충성심을 인정받을 수있는, 일 잘하는 척만 해도 조직에서 승승장구할 수 있었죠. 그래서 한편으로 '척'은 일잘러가 되고 싶은 초짜에게 좋은 시도가 될 수는 있습니다. 아직 일을 잘하는 게 뭔지 모르겠다면, 척이라도 따라할 수는 있잖아요? 그러나 여전히 '척'으로만 남게 된다면 곤란하다는 거예요. 지금은 성공보다 '성장'을 원하고, '현재'에서 재미와 의미를 찾아야 하고, 또한 내 일과 내 삶의 '균형'도 중요하잖아요. 그러니 '성장'과 '균형'이 빠진 '척'은 한계가 있는 거죠.

일하기 좋은 회사는 함께 일하는 동료들과 신뢰를 기반으로 함께 성장할 수 있는 곳이어야 합니다. 그곳으로 일잘러들은 계속 모이겠죠. 따라서 내가 일하기 좋은 회사에 다니는 일잘러로 성장하기 위해서는 일 잘하는 '척'의 관계 투입 시간을 집중으로 바꾸어 일로 인정받고 신뢰받는 '찐' 일잘러로 거듭나야겠습니다.

저성과자 해고의 적법과 위법은 종이 한 장 차이
서면 통보 규정의 중요성

조직에서는 '저성과자'에 대한 고민이 많습니다. 과거 고성장 시기에는 개인의 업무성과가 조직 내에서 상대적으로 뒤처진다는 것은 저성과자 당사자의 승진이 늦어진다거나, 한직으로 배치될 뿐, 그리 큰 문제가 되지 않았지만, 지금처럼 장기불황 국면에 접어들어서는 개개인의 성과를 조직의 손익과 민감하게 연동하여 파악하기 때문에 성과평가 결과에 따른 고민이 많은데요, 상시 구조조정이 보편화되고 있지만, 그럼에도 관련 법의 테두리 안에서 저성과자를 관리하기란 쉽지 않습니다.

그렇다면 먼저 저성과자에 어느 누가 해당하는지, 저성과자의 일반적인 정의를 살펴볼까요? 저성과자란, 성과 부진자, 업무실적 부진자와 같이 성과나 업무실적을 중심으로 바라보는 것으로, 성과(업무실적)가 측정 가능해야 하고 비교할 수 있는 대상이 있어야 하며, 어느 정도 낮은 평가를 받아야 되는지 등에 대한 객관적인 준거 필요합니다. 근무태도 불량자, 조직 부적응자 등도 넓은 의미에서 저성과자에 포함됩니다.

현재 대부분의 우리나라 기업들이 채택하고 있는 성과주의 인사 제도에 근거한 조직 구성원들의 성과평가 결과는 보통 3그룹으로 분류하고 있습니다. 고성과자-보통-저성과자, 핵심인재-보통인재-저성과자, A player-B player-C player 등으로 말입니다. 그리고 기업들은 여기에서 저성과자로 분류된 직원들을 대상으로 재교육, 이동 및 재배치, 처우 조정, 퇴출 등의 관리를 하고 있는데요. 이때 주의할 점은 회사는 저성과자의 즉각적인 해고를 지양해야 한다는 것입니다.

그렇다면 해고 자체가 위법 사항이 되는 것이냐? 그렇지는 않고요, 해고의 정당성 요건을 갖추면 적법한 해고가 됩니다. 예를 들어, 조직에서 저성과자의 역량 및 성과 개선을 위한 충분한 기회를 부여했음에도 불구하고(최소 3차례에 걸친 육성 기회 부여와 체계적인 부서장 면담 실시 등) 해당 구성원의 역량이 현저히 떨어지거나 개선하고자 하는 의지가 없는 경우, 이때서야 저성과자 해고가 가능합니다.

현행 근로기준법 제23조에 따르면, 사용자가 근로자를 해고하려면 정당한 이유가 있어야 한다고 명시하는데요, 그러나 어느 것이 정당한 이유인지에 관한 내용은 규정되어 있지 않아 모호합니다. 다만 그동안의 판례 등을 종합하여, 저성과자에 대한 해고가 정당하려면

- 선발기준의 합리적 타당성(업무관련성)
- 저성과자 평가의 공정성(기회의 공평성)
- 저성과자에 대한 기업의 성과향상노력(개선기회 제공)
- 법령·단체협약·취업규칙·근로계약 등 근거규정 존재(근거규범)
- 사전에 성실한 협의 등

실체적 정당성과 절차적 정당성 요건이 충족되어야 합니다.

그런데 얼마 전, 정말 '종이 한 장' 차이로 저성과자에 대한 해고가 위법이라는 대법원 판결이 나왔습니다((대법 2017다226605, 선고일자 : 2021-02-25). 모 대기업의 인사 담당 부서에서 해고의 절차적 정당성 요건을 충족시키지 못한 사례인데요, 근로기준법 제27조에 따르면 근로자를 해고하기 위해서는 '해고 사유'와 '해고 시기'를 반드시 서면으로 통보해야만 효력이 발생합니다. 서면 통지에 관한 규정은 근로자 해고에 신중을 기하기 위해, 해고와 관련한 사항에 대한 명확성을 확보하여 사후 분쟁을 예방하기 위해, 그리고 근로자가 이에 적절히 대응할 수 있도록 마련한 것입니다. 위 판결에서는 해당 기업이 저성과자를 해고하는 절차 중에 서면으로 통보는 했지만, 서면에 해고 사유를 기재하지 않았음을 지적하여 위법하다고 하였습니다.

조직의 생산성과 효율성을 제고하고 건전한 긴장감을 조성하기 위해 공정하고 합리적인 저성과자 관리 프로그램의 구축과 운영은 필수 사항입니다. 또한 저성과자 관리 프로그램으로 개선되지 않은 구성원에 대해서는 제반 사정을 충분히 고려한 신중하고 보수적인 대응 방안을 마련해야 합니다. 반드시 관련 법을 준수하여 예상치 못한 위험이 따르지 않도록 주의해야겠습니다.

벼랑 끝에서 천재 화가 피카소의 언런을 시도하다

온고지신(溫故知新) 아니고 '폐'고지신('廢'故知新)

지난 2021년 1월, LG는 칼을 뽑아 들었습니다. 2015년 2분기 이후 누적적자 5조 원 이상을 기록하고 있는 비운의 휴대전화 사업부를 전면적으로 구조조정 하겠다고 공식화하였는데요, LG의 기술력은 여전히 세계 최정상급임을 자신하지만 시장에서의 외면은 더 이상 버틸 수 없었나 봅니다.

물론 LG의 사업 구조조정은 이번이 처음은 아니었습니다. 과거 반도체를 버리고 배터리에 집중하였고, 또 브라운관을 버리고 디스플레이에 집중하여, 덜어낸 이상으로 잘 성장해왔습니다. 그러나 이번 휴대전화 - 스마트폰 사업부의 구조조정만큼은 매우 힘든 선택이었을 것입니다.

LG는 1995년 휴대전화 사업을 시작하여 2010년에는 대세에 따라 스마트폰으로 이어왔습니다. 다양한 전략을 구사하며 시장에서의 입지를 다지려 각고의 노력을 했지만, 아주 잠깐 영업이익의 단맛을 맛보았을 뿐, 프리미엄 시장에서는 애플과 삼성에 치이고 중저가 시장에서는 화웨이와 샤오미에 밀려, 전 세계 시장 점유율

1~2%에 그치는 쓰디쓴 애물단지가 되었습니다.

하지만 LG의 스마트폰 기술력은 다른 다양한 사업부에서 상당수 활용 중이었습니다. 계열사들의 핵심 기술 대부분이 바로 이 스마트폰 사업부의 선행기술에 많이 의존하고 있습니다. 그래서 그동안 어마어마한 적자 속에서도 사업부의 존속을 이어올 수 있었던 이유이기도 합니다.

LG의 결단은 천재 화가 '피카소'를 떠오르게 합니다. 피카소는 과거로부터 단절을 위해 엄청난 노력을 하였고, 그 결과 특유의 표현법을 선보이며 현대미술에 거대한 획을 그은 거장이 되었습니다.

혹시, 피카소의 아버지도 화가였다는 사실, 알고 계신가요? 어릴 적 피카소가 그린 그림을 보고 피카소의 아버지는 화가의 길을 그만두었습니다. 피카소의 그림 실력이 너무 천재적이어서요. 아, 우리에게 익숙한 입체주의 그림이 아니라, 누구나가 다 너무 잘 그렸다고 인정할 수 있는 사실적인 묘사와 색채, 원근법을 표현한 그림을 보고서요.

그림에 천부적인 재능을 타고난 피카소는 20세에 프랑스로 갑니다. 낯선 예술의 도시에서 최고의 경지에 오른 화가들의 작품들을 끊임없이 연구합니다. 그리고 자신은 더 이상 뛰어난 화가가 아니라는 것을 깨닫습니다. 조숙한 천재성은 나이 듦에 따라 사라지는 것이고, 본인만의 새로운 것을 찾아야 거장이 될 수 있음을 알게 되었습니다.

사실, 피카소 그림은 종종 비난받습니다. 일반인들에게 난해하거든요. 그림을 즉흥적으로 너무 쉽게 그린 것만 같습니다. 그런데 소문난 그림 신동이었다니 믿기 어렵습니다. 천부적인 재능도 연습하지 않으면 사라진다는데, 노력을 게을리한 건 아닌가 하는 의문도 듭니다.

피카소의 진가는 사후 그의 아틀리에에서 발견된 수백 장의 연습 스케치에서 더욱 빛을 발합니다. 그 스케치의 양은 보통사람이 매일을 쉬지 않고 그려도 불가능한 수준이라고 합니다. 그는 '언런 (unlearn)'을 위해 매일 매일 많은 시간을 투자하여 연습을 하였던 것입니다. 언런이란, '폐기학습'입니다. '지금까지 학습해온 것을 버리는 학습'입니다. 우리가 보기에 즉흥적인 그의 그림은 사실 수많은 연습을 통해 기존의 잘 정형화된 것을 버리고 새로운 것을 찾으려 노력한 결과였던 것입니다.

언런의 방향성은 '기본으로 돌아가는 것(back to basic)'입니다. 본질적인 의미와 가치를 찾기 위해 다양한 모방도 해볼 수 있습니다. 단, 그대로 베끼는 것이 아니라 끊임없는 연습과 노력으로 재창조시켜야 합니다. 장난감을 가지고 놀다가 장난감이 궁금해지면 분해해 보고 다시 조립할 때는 전과 다른 새로운 형체로 만들어내거나 혹은 새로운 기능을 추가하거나 하는 것처럼요. '벨라스케스'의 <시녀들(Las Meninas, 1656)>에서 '피카소'의 <시녀들(Las Meninas, 1957)>이 태어난 것 - 이것은 혁신입니다.

7살에 정확한 그림을 그린 피카소는 스스로 천재가 아님을 인정하고 부단히 노력하여 결국 천재가 되었습니다. 최고의 기술력을 가진 LG는 휴대전화 시장에서 철수하지만 결국 기술력으로 새로운 시장의 승자가 되기를 기대해봅니다. 어쩌면 언런은 이 시대의 비상구일지도 모르겠습니다.

사내교육, 일회성이 아닌 '학습 여정'으로 설계해야

중소기업에서 교육 효과 100배 올리기

설립한 지 15년 된, 임직원 100여 명 규모의 경기도 소재 한 IT 중소기업으로부터 강의 요청을 받았습니다. 강의 요청은 그 기업의 오너(창업주)가 직접 하였는데, 직원들의 사기가 많이 저하되어 있으니, 지친 직장생활에 활력을 불어넣을 수 있는 방법에 대해 한 시간 정도 교육해달라고 하였습니다. 요청을 수락하고, 주제를 어떻게 잡아볼까 고민하던 중에, 그 회사의 경영지원 담당자로부터 다음의 구체적인 요구사항을 전달받았습니다. 1. 직장생활을 자기 주도적으로 이끌어가는 법, 2. 리더의 자질과 직업관, 3. 중간 관리자의 역할과 마음가짐, 4. 직장생활의 권태기를 이겨내는 법, 5. 장기 근속자의 불안감 등. 머리가 복잡해졌습니다. 전 사원을 대상으로 60분 강의를 진행할 예정인데 위 내용을 어떻게 다 다룰지 고민에 고민을 거듭한 끝에, 주제를 "'일잘러'로 거듭나기"로 설정하고, '나는 핵심 인재인가?' / '나는 훌륭한 리더인가?'로 세분화하여 개인 수준과 리더십 수준을 함께 다루는 것으로 강의안을 개발하였습니다. 그리고 강의 시간을 30분 더 늘리겠다고 하였습니다. 그런데 강의안을 받아본 경영지원팀에서 다시 연락이 왔습니다. '팀 응집력'에 대해서도 교육해달라고요. 맙소사! 이에 대해서는 주제를 따로 빼내긴 어렵지만, 강의 중에 최대한 녹여내겠다고 전하였습니다.

이 기업은 다소 긴 업력에도 불구하고, 그동안 사내교육을 진행해 본 경험이 전혀 없었습니다. 외형은 빠른 속도로 꾸준히 성장해왔지만, 이 때문에 오히려 미래 역량 계발을 위한 내부 교육에는 소홀할 수밖에 없었을 수도 있겠습니다. 그러다 코로나19로 인해 예상치 못한 문제들이 불거지자, 사업부 구조조정을 실시해야 했고, 구성원들의 심리적 불안이 고조되니, 이에 대한 처방으로 첫 사내교육을 실시한 것입니다. 따라서 그동안 다루고 싶었던 교육 주제들을 한꺼번에 요구했던 것이죠. 그런데 이렇게 사내교육이 전무한 현상은 비단 이 기업뿐만 아니라 국내 대부분의 중소기업들이 겪는 문제인 것 같습니다.

사내교육, 왜 시행하지 못할까요? 그 이유를 다음의 두 가지로 압축해 보겠습니다. 먼저, 일과 중에 교육 시간을 빼내기가 어렵다고 토로합니다. 교육을 위해 사용한 시간만큼 잔업 시간은 늘어나게 되고, 그러면 직원들의 불만이 커지게 되니 부담스럽다고요. 그리고 두 번째, 교육의 효과성에 대해 의문을 가집니다. 교육을 실시한 후에 성과 향상이라는 결과로 나타나야 하는데, 잘 모르겠다는 거죠. 그러다 보니 교육은 비용(cost)이 되고, 생산성 관점에서 비용을 줄여야 하는 요인이 된 것입니다.

그렇다면, 기업교육의 의미를 다시 생각해볼 필요가 있습니다. 기업교육이란, 조직 구성원들의 지식, 스킬, 태도, 자신감, 확신을 증진시키고, 그들의 행동을 변화시켜서 직무 및 조직의 성과 향상을 꾀하도록 의도적으로 계획된 학습 이벤트를 제공하는 일련의 활동입니다. 기업의 지속 성장을 위해서는 기업교육이 반드시 필요할 텐데, 그런데 사내교육에 대한 투자가 조직 성과와 상관이 없다고요? 그렇다면 혹시 교육을 '일회성 강의'로만 진행하진 않으셨나요? 혹은 교육에 대한 투자를 '강의비'로만 파악하고 있지는 않으신가요?

　교육의 효과는 일회성 강의로 만족할만한 성과를 가져올 수 없습니다. 사내교육을 구성하는 요인은 학습 이벤트(강의 등) 외에 사전 및 사후 활동도 포함됩니다. 사전 및 사후 활동을 비중 있게 진행할 경우, 학습의 효과가 배가 되어 나타납니다. 실제로 사전 활동에 5%, 학습 이벤트에 90%, 사후 활동에 5%의 비율로 구성한 교육 후의 직무성공률은 15%에 그쳤지만, 사전 활동에 25%, 학습 이벤트에 25%, 사후 활동에 50%의 비율로 구성한 교육 후의 직무성공률은 무려 85%로 나타난 연구결과가 있습니다. 따라서 사내교육의 성과는 학습 경험의 설계(Learning Experience Design)에 따라 좌우된다고 할 수 있겠는데요, 학습 이벤트 외에 학습 전과 후의 활동이 학습 목적을 달성하기 위해 얼마나 유기적·통합적으로 잘 구성되어 있는가가 중요합니다. 이를 여행에 빗대어 '학습 여정(Learning Journey)'이라고 표현하는데요, 쉽게 얘기하자면, 마치 긴 여행을 떠날 때 경로를 따라 이동하면서 무언가 다양한 경험을 하는 것처럼, 사내교육도 하나의 이벤트가 아니라 연속되는 긴 과정 속에서 진행되어야 한다는 겁니다.

학습 여정에서의 학습은 기존의 특정 온/오프라인 강의실에서만 가능한 것이 아니라, 업무 진행 중에, 일터에서, 공식/비공식적으로, 다양한 방식을 결합하여 가능합니다. 다양한 방식이라 함은 강의, 현장학습, 실습과제, 온라인 학습, 오디오/비디오 시청 등 여러 교육 방법 중에 교육 목적에 가장 부합하는 적절한 것을 선택하여, 다양한 조합으로 일과 학습이 결합된 상태로 실행하면 됩니다.

단, 학습 여정을 설계하기 위해서는 다음의 요건을 고려해야 하는데요,
1. 단계별 학습 수준이 자연스러운 보조를 이루어야 하고,
2. 새로운 스킬이 보호받으면서 성장할 수 있어야 하며,
3. 학습 장애에 대한 저항과
4. 지속 성장 및
5. 성과 대비 학습 육성 환경이 이루어져야 합니다.

그리고 성공적인 학습 여정을 위해서는 다양한 형태의 지원자도 설정해두어야 합니다. 조직 내 구성원들에게 촉진자(facilitator), 코치(coach), 평가자(assessor), 멘토(mentor) 등의 역할을 지정·배분하여 원활한 학습 효과를 창출할 수 있도록 상호 격려하며 협력하는 네트워크를 조성해야 합니다. 특히, 학습 여정의 방식은 미래 리

더십 역량 계발에 적합하다고 보는데요, 미래에 필요한 리더십 역량을 요약해 보면, 다음과 같습니다.

1. 변화하는 고객 니즈와 기대를 이해하고 실행하는 역량
2. 상품과 서비스의 지속적 향상을 도모할 수 있는 혁신 역량
3. 빠르게 변화하는 상황에 적응하고 반응할 수 있는 역량
4. 새로운 경쟁 환경에 반응할 수 있는 역량
5. 불확실성 속에서도 과감하게 의사결정을 내릴 수 있는 역량

그렇다면 이제, 사내교육은 더 이상 비용이 아니라 투자인 것이 마땅하겠죠? 또한 교육에 대한 투자는 강의비뿐만 아니라, 인적자원과 관련된 모든 지원, 즉, 협업, 의사소통, 조직문화 등을 포함하여 전방위적으로 고려해야 하고요. 또한 투자를 했으니 당연히 그에 대한 수익 관리를 하는 것 - 학습 여정의 설계와 효과에 대한 지속적인 피드백과 관리가 필요합니다.

정리하자면, 학습 여정은 기업의 전략과 교육의 목적을 분명하게 설정하고, 그에 따른 적합한 학습 경험을 설계한다면 충분히 그 효과를 끌어낼 수 있습니다. 따라서 그동안 교육 시간에 대한 부담과 교육 효과성에 대한 의문을 가진 중소기업에서 더욱 효과적으로 활용할 수 있는 방법입니다. 사내교육을 위한 일회성 강사를 섭외하기 전에, 학습 여정을 설계해 보는 것, 어떨까요?

학습 여정 설계를 위한 가이드라인

1. 기업의 전략과 성과 추구 방향을 기준으로 필요한 학습 프로그램 경로를 설정한다.

2. 구성원과 이해관계자의 동기를 파악하고, 학습의 목적을 분명하게 한다.

3. 학습의 주제는 현업의 당면 과제와 관련성이 높아야 한다.

4. 학습의 수준은 점차 난이도를 높여가며 연습하여 습득할 수 있도록 한다.

5. 학습을 위한 콘텐츠는 효과적으로 제공한다.

6. 학습 중 장애 발생 시, 이를 적극적으로 해결할 수 있는 지원체계를 갖춘다.
   - 촉진자(facilitator), 코치(coach), 평가자(assessor), 멘토(mentor) 등의 역할 지정 및 배분

7. 학습의 결과는 현업에 적용할 수 있어야 한다.

8. 학습 여정은 비즈니스를 고려하여 충분히 확장 가능하도록 설계한다.